Pasta

Inhalt

Spaghetti & Co.

Verführerische Vielfalt

Nudeln oder Pasta, wie man in Italien sagt, gibt es in allen erdenklichen Variationen. Es ist zwar weiterhin strittig, ob die Nudeln in China oder in Italien erfunden wurden. Eindeutig fest steht aber, dass die Italiener die wahren Spezialisten in Sachen Pasta sind: Ob Muscheln, Hörnchen, Öhrchen oder Schnecken – es gibt kaum eine hübsche Form, die sie nicht in Gestalt einer Nudel verewigt hätten. Es soll mehr als 300 verschiedene Pasta-Sorten geben, die auf dem Stiefel angeboten werden. Bei dieser Fülle verwundert es nicht, dass die Frage »Welche Pasta-Sorte harmoniert am besten mit welcher Sauce« beinahe schon eine Wissenschaft für sich ist. Als Faustregel gilt: je schwerer die Sauce, desto breiter die Nudeln. So sind z. B. bei dunklen Fleischsaucen breite Bandnudeln wie Pappardelle die idealen Begleiter. Auch kurze Nudeln wie Penne oder Rigatoni passen gut zu gehaltvolleren Saucenvarianten mit Fleisch oder Gemüse. Die »Langen«, Makkaroni und Spaghetti, kann man mit fast allen Saucen kombinieren – unübertroffen sind sie mit aromatischen Kräuter- und Tomatensaucen.

PAPPARDELLE (links) stammen aus der Toskana und sind unter den verschiedenen flachen Bandnudeln die breitesten.

1 **SPAGHETTI** heißen wörtlich übersetzt »Bindfäden«. Es gibt sie in unterschiedlichen Durchmessern und Längen (Mindestlänge 30 cm). Dünnere Spaghetti werden als Spaghettini oder Vermicelli bezeichnet.

2 **LASAGNEBLÄTTER** gibt es als Fertigprodukt aus Hartweizen (auch mit Spinat grün gefärbt) im Handel. Sie haben den Vorteil, dass man sie nicht vorkochen muss.

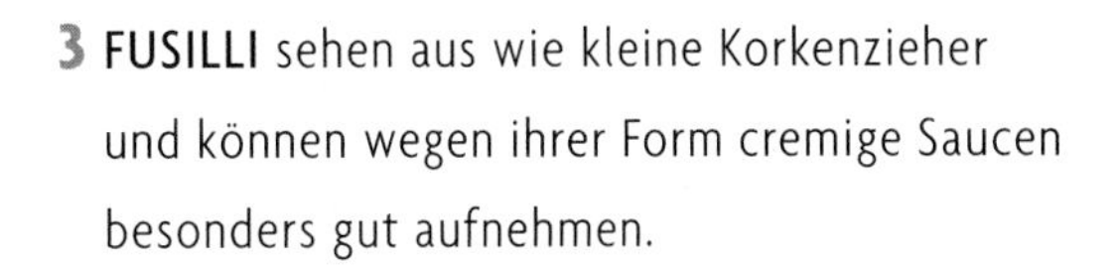

3 FUSILLI sehen aus wie kleine Korkenzieher und können wegen ihrer Form cremige Saucen besonders gut aufnehmen.

4 TAGLIATELLE sind die klassischen Teigwaren aus der Gegend um Parma. Die flachen Bandnudeln sind schmaler als Pappardelle und werden oft mit Spinat oder Tomatenmark gefärbt und zu Nestern geformt angeboten.

5 CONCHIGLIE sind Nudeln in Muschelform. Die kleinen nehmen sehr gut Saucen auf, die großen eignen sich vorzüglich zum Füllen und Überbacken.

6 ROTELLE finden häufig als Suppeneinlage Verwendung. Die Nudeln, deren Form an Wagenräder erinnert, werden in unterschiedlichen Größen angeboten.

7 MAKKARONI, lange, röhrenförmige Nudeln, stammen aus Neapel und werden in Italien vor dem Kochen durchgebrochen, da sie sich in ganzer Länge nur schwer essen lassen.

6

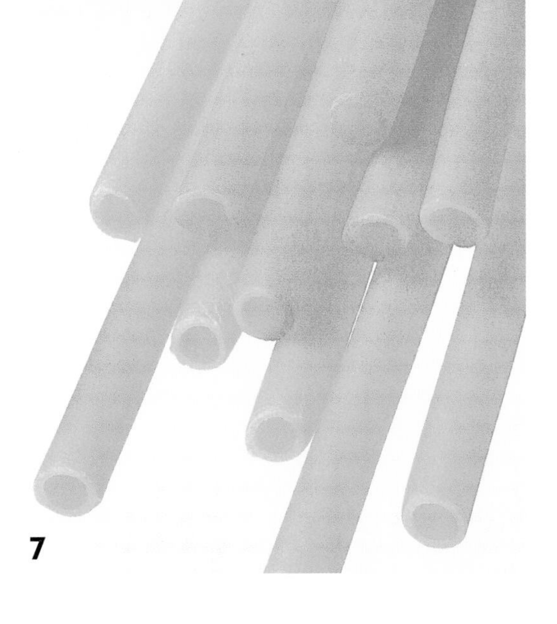
7

CANNELLONI kann man ebenso wie Lasagneblätter als Fertigprodukt kaufen. Die großen Nudelröhren werden beliebig gefüllt, mit Sauce übergossen und dann überbacken.

FARFALLE werden wegen ihrer Form auch Schmetterlingsnudeln genannt. Kleine Farfalline verwendet man gern als Suppeneinlage.

FETTUCCINE, flache Bandnudeln mit einer Breite von ca. 1 cm, sind die römische Variante der Tagliatelle.

LINGUINE und **TRENETTE** sehen fast aus wie Spaghetti, sind aber nicht rund, sondern leicht flach gedrückt.

PENNE, kurze Röhrennudeln mit schräg abgeschnittenen Enden, gibt es mit glatter (Penne lisce) und gerillter (Penne rigate) Oberfläche.

RAVIOLI, gefüllte Teigtäschchen, kann man auch frisch oder getrocknet kaufen – selbst gemacht schmecken sie aber natürlich am besten.

RIGATONI und **TORTIGLIONI** nennt man kurze, dicke Röhrennudeln mit gerillter Oberfläche. Im Unterschied zu den Penne haben sie einen größeren Durchmesser und gerade Enden.

Step by Step
Die wichtigsten Küchentechniken

Das Angebot an fertigen Teigwaren ist riesig, doch echte Pasta-Fans wissen: Selbst gemachte Nudeln schmecken einfach am besten. Das ist zwar mit einigem Aufwand verbunden, doch die Mühe lohnt sich! Bei der Zubereitung von Nudelteig ist die Qualität des Mehls das A und O. Pasta-Profis verwenden daher Farina di semola fine (gibt es in italienischen Feinkostläden) oder ein anderes griffiges Mehl wie Wiener Griessler. Wer kernige Nudeln bevorzugt, mischt Mehl mit Hartweizengrieß. Pasta-Teig muss immer möglichst dünn ausgerollt werden. Früher geschah dies mit Nudelrolle und Muskelkraft; heute überlässt man diese Arbeit meist der Nudelmaschine. Damit die Nudeln dann al dente, also bissfest, auf den Tisch kommen, ist nicht nur die exakte Garzeit, sondern auch reichlich Wasser nötig. Man rechnet etwa 1 l Wasser pro 100 g Teigwaren. Ein Schuss Öl im Kochwasser verhindert bei selbst gemachter Pasta das Überkochen. Nur wenn die gegarten Nudeln für Salat verwendet werden, sollte man sie abschrecken. So wird nämlich der Stärkefilm zerstört, der dafür sorgt, dass die Sauce besser an der Nudeloberfläche haftet.

Nudelteig zubereiten

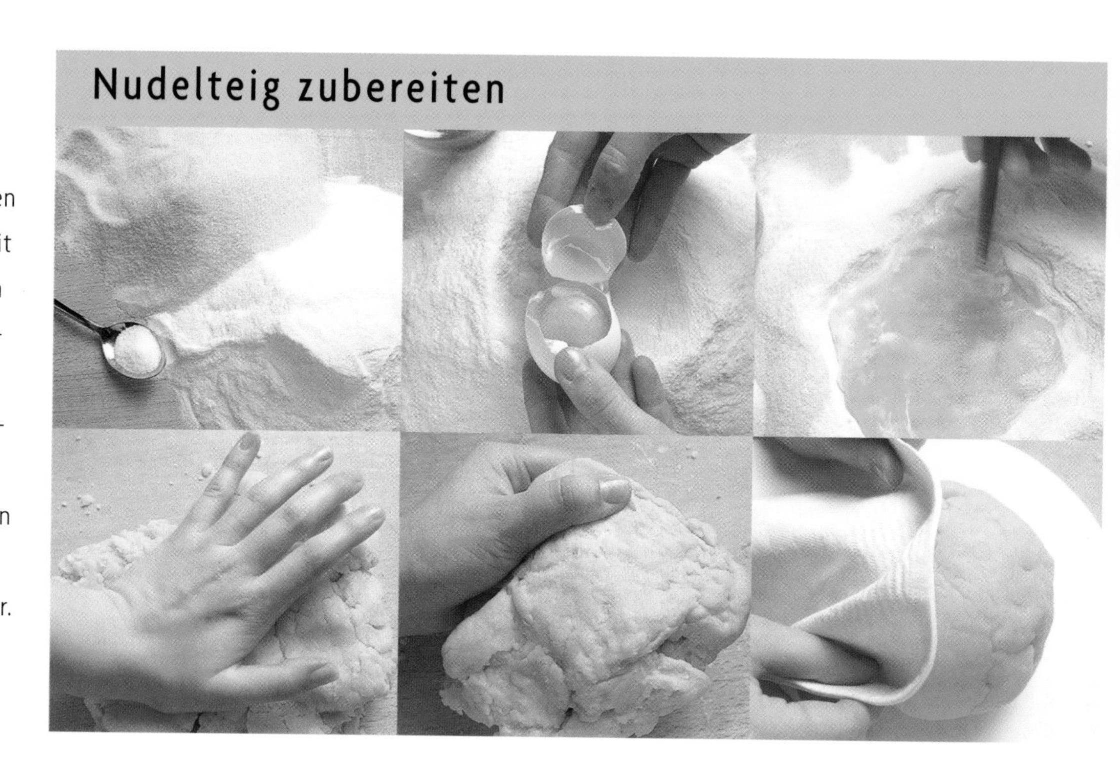

1 Je 150 g Mehl (Type 405) und Hartweizengrieß oder 300 g Mehl mit ½ TL Salz auf der Arbeitsfläche vermischen.

2 In die Mitte des Mehls eine breite Mulde drücken. 3 Eier aufschlagen und zusammen mit 1 EL Öl hineingeben.

3 Mit der Gabel die Eier verquirlen, dabei etwas Mehl vom Rand untermischen. Eventuell etwas Wasser zugeben.

4 Mit den Handballen von außen nach innen so lange durchkneten, bis ein glatter, formbarer Teig entsteht.

5 Der Teig ist optimal, wenn er sich leicht von der Arbeitsfläche löst und die Oberfläche zart glänzt.

6 Den Teig zu einer Kugel formen, mit einem Tuch bedecken und an einem warmen Platz etwa 30 Minuten ruhen lassen.

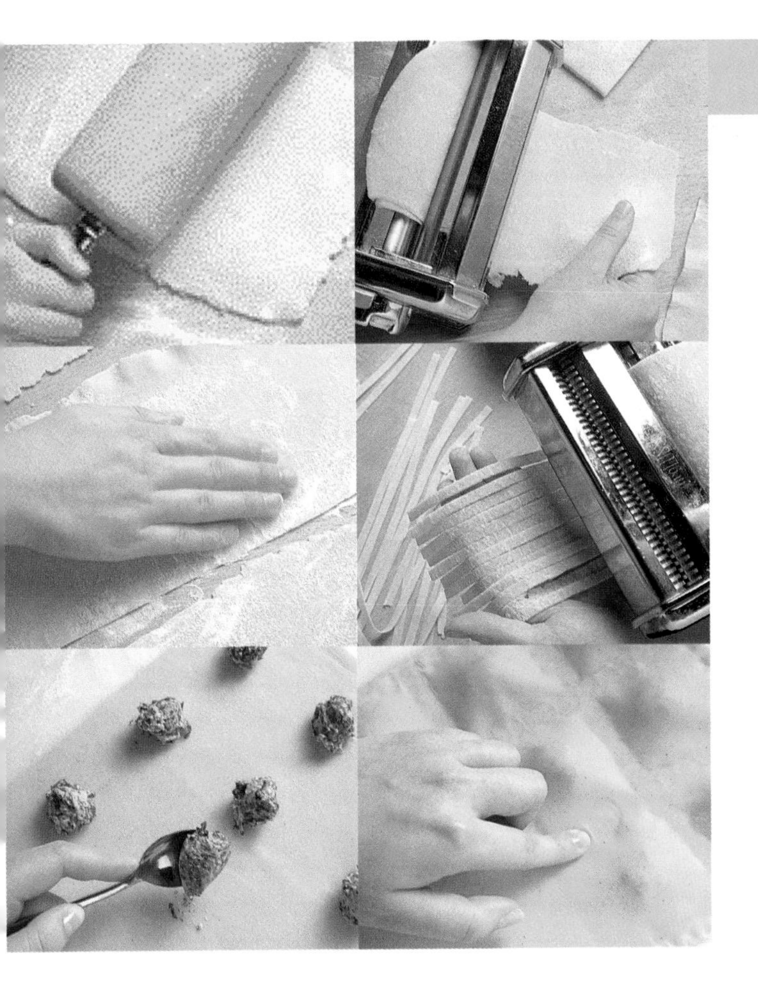

Nudelteig in Form bringen

1 Auf der bemehlten Arbeitsfläche die Teigkugel von der Mitte aus mit der Nudelrolle dünn ausrollen.

2 Mit der Nudelmaschine die Walzenstärke von Mal zu Mal verringern, bis die gewünschte Teigdicke erreicht ist.

3 Die dünnen Teigplatten mit etwas Mehl bestäuben und (eventuell auf einem Küchentuch) kurz antrocknen lassen.

4 Mit dem entsprechenden Vorsatz für die Nudelmaschine oder mit dem Messer beliebig breite Bandnudeln schneiden.

5 Für Ravioli die Teigplatte zur Hälfte mit Füllung belegen und die zweite Teighälfte darüber klappen.

6 Den Teig um die Füllungen herum andrücken, die Ravioli ausschneiden, die Ränder mit der Gabel zusammendrücken.

Pasta richtig kochen

1 Pro 100 g Pasta etwa 1 l Wasser in einem großen Topf zum Kochen bringen.

2 Pro Liter Wasser 1 leicht gehäuften EL Salz zufügen und die Pasta hineingeben.

3 Beim Garen ab und zu umrühren, damit die Teigwaren nicht aneinander kleben.

4 Die angegebenen Garzeiten auf den Packungen beachten und Garproben machen.

5 Sobald die Nudeln bissfest sind, in ein Sieb abgießen und abtropfen lassen.

6 Nudeln sofort mit der gewünschten Sauce mischen oder in Butter schwenken.

Pasta-Salate

Spaghetti-Salat
mit Kräuter-Sahne-Sauce

Der ideale Snack für laue Sommerabende: Von diesem pikanten Salat mit vielen frischen Kräutern können Pasta-Fans nicht genug bekommen

Zutaten

250 g **Spaghetti**

Salz

2 **Schalotten**

1 Bund **Estragon**

1 Bund **Dill**

1 Bund **Schnittlauch**

1 kleine unbehandelte **Orange**

200 g saure **Sahne**

2 EL **Zitronensaft**

2 EL **Olivenöl**

Pfeffer aus der Mühle

1 Msp **Cayennepfeffer**

2 **Knoblauchzehen**

Zubereitung

FÜR 4 PERSONEN

1 Die Spaghetti nach Packungsanweisung in reichlich kochendem Salzwasser bissfest garen. In ein Sieb abgießen, kalt abbrausen und abtropfen lassen.

2 Die Schalotten schälen und fein würfeln. Die Kräuter waschen und trockenschütteln. Einige Estragonzweige für die Dekoration beiseite legen, von den restlichen Zweigen die Blätter abzupfen. Die Dillspitzen ebenfalls abzupfen und mit dem Estragon fein hacken. Den Schnittlauch – bis auf ca. 6 Halme – in feine Röllchen schneiden.

3 Die Orange heiß abwaschen und trockenreiben. Die Hälfte der Schale mit einem Zestenreißer abschälen. Die Frucht halbieren, auspressen und den Saft in einer großen Schüssel mit saurer Sahne, Zitronensaft, Öl, Salz, Pfeffer und Cayennepfeffer zu einem Dressing verrühren. Die Knoblauchzehen schälen und dazupressen.

4 Gehackten Dill und Estragon mit den Schnittlauchröllchen und den Schalottenwürfeln unter das Dressing rühren.

5 Die Spaghetti dazugeben, mit der Sauce mischen und etwa 15 Minuten durchziehen lassen. Den Salat auf einer Platte anrichten und mit den restlichen Kräutern und den Orangenzesten garnieren.

Wer keinen Zestenreißer hat, kann die unbehandelte Orange auch dünn abschälen und anschließend die Schalenstücke mit einem Küchenmesser in feine Streifen schneiden.

Fusilli-Salat
mit Radicchio

Ein Salat, der nach Urlaub **schmeckt: Diese raffinierte Pasta-Kreation mit Radicchio, Salami und Mozzarella ist der Hit auf jeder** Sommerparty

Zutaten

250 g **Fusilli** · **Salz**

100 g **Salami** (in Scheiben)

6 eingelegte grüne **Peperoni**

4 Stangen **Staudensellerie** (mit Grün)

1 Kopf **Radicchio**

1 Kugel **Mozzarella** (ca. 125 g)

1 **Zwiebel**

4 EL **Weißweinessig**

5 EL **Olivenöl**

Pfeffer aus der Mühle

2 **Knoblauchzehen**

100 g schwarze **Oliven** (ohne Stein)

Zubereitung
FÜR 4 PERSONEN

1 Die Fusilli nach Packungsanweisung in reichlich kochendem Salzwasser bissfest garen. In ein Sieb abgießen, kalt abbrausen und abtropfen lassen.

2 Die Salami in dünne Streifen schneiden. Die Peperoni abwaschen und in Ringe schneiden. Den Staudensellerie putzen und waschen. Das Grün für die Dekoration beiseite legen, die Selleriestangen in feine Scheiben schneiden.

3 Den Radicchio putzen, in einzelne Blätter teilen, waschen und trockenschleudern. Den Mozzarella in kleine Würfel schneiden. Die Zwiebel schälen und fein hacken.

4 Essig, Öl, Salz und Pfeffer in einer großen Schüssel mit dem Schneebesen zu einem Dressing verrühren. Die Knoblauchzehen schälen und dazupressen.

5 Die Salamistreifen, die Peperoniringe, die Selleriescheiben, die gehackten Zwiebeln, die Oliven und die Hälfte der Mozzarellawürfel mit den Nudeln zu dem Dressing in die Schüssel geben und gut vermischen.

6 Den Pasta-Salat mit den Radicchioblättern und dem Selleriegrün anrichten, mit den restlichen Mozzarellawürfeln bestreuen und servieren.

Garganelli-Salat
mit Brokkoli und Thunfisch

Zubereitung
FÜR 4 PERSONEN

1 Die Garganelli nach Packungsanweisung in reichlich kochendem Salzwasser bissfest garen.

2 Den Thunfisch in grobe Stücke teilen. Die Brokkoliröschen in kochendem Salzwasser etwa 7 Minuten blanchieren, eiskalt abschrecken und abtropfen lassen.

3 Die Tomaten waschen und in kleine Spalten schneiden, dabei die Stielansätze entfernen. Die Schalotte und den Knoblauch schälen und fein hacken.

4 Das Öl in einer Pfanne erhitzen, den Knoblauch und die Schalotten darin glasig dünsten. Die Brokkoliröschen und die Tomatenstücke dazugeben und kurz mitdünsten.

5 Die Garganelli in ein Sieb abgießen, abtropfen lassen und mit dem Brokkoli und den Tomaten mischen. Mit Salz, Pfeffer und Essig würzen. Die Thunfischstücke vorsichtig unterheben und den Salat mindestens 30 Minuten durchziehen lassen. Mit geriebenem Parmesan und Basilikumstreifen servieren.

Zutaten

250 g **Garganelli** (oder Penne rigate)

Salz · 1 Dose **Thunfisch** (im eigenen Saft)

250 g **Brokkoliröschen**

250 g **Tomaten** · 1 **Schalotte**

1 **Knoblauchzehe** · 3 EL **Olivenöl**

Pfeffer aus der Mühle

1 EL **Weißweinessig**

50 g frisch geriebener **Parmesan**

einige **Basilikumblätter**

(in feine Streifen geschnitten)

Zutaten

350 g **Spaghetti**

Salz

2 rote **Paprikaschoten**

4 **Kartoffeln**

9 EL **Olivenöl**

400 g junger **Spinat**

80 g schwarze **Oliven** (ohne Stein)

2 EL **Aceto Balsamico**

1 TL mittelscharfer **Senf**

2 **Knoblauchzehen**

Pfeffer aus der Mühle

Spaghetti-Salat
mit Spinat und Kartoffeln

Zubereitung
FÜR 4 PERSONEN

1 Die Spaghetti nach Packungsanweisung bissfest garen. In ein Sieb abgießen, kalt abbrausen und abtropfen lassen.

2 Die Paprikaschoten längs halbieren, entkernen, waschen und in grobe Stücke schneiden. Die Kartoffeln schälen, waschen und in feine Würfel schneiden.

3 3 EL Öl erhitzen und die Kartoffelwürfel darin unter Rühren anbraten. Die Paprika dazugeben und mitbraten.

4 Den Spinat putzen, waschen und in kochendem Salzwasser blanchieren. Abgießen, eiskalt abschrecken und gut abtropfen lassen. Die Oliven halbieren. Alle Zutaten für den Salat in einer großen Schüssel vermischen.

5 Für das Dressing den Aceto Balsamico mit Senf und Salz verrühren. Den Knoblauch schälen und dazupressen. Das restliche Öl unterschlagen, das Dressing mit Pfeffer würzen und über den Salat träufeln.

Penne-Salat

mit Salsa verde

Salsa verde, die originale grüne Sauce aus Italien, ist zwar nicht so bekannt wie Pesto, aber mindestens genauso aromatisch

Zutaten

250 g **Penne rigate** · **Salz**

1 Bund **Schnittlauch**

1 Bund **Basilikum**

1 Bund glatte **Petersilie**

je einige Zweige **Oregano** und **Thymian**

3 EL **Aceto Balsamico**

4 EL **Olivenöl**

1 TL mittelscharfer **Senf**

Pfeffer aus der Mühle

2 **Knoblauchzehen**

Zubereitung

FÜR 4 PERSONEN

1 Die Penne nach Packungsanweisung in reichlich kochendem Salzwasser bissfest garen. In ein Sieb abgießen, kalt abbrausen und abtropfen lassen.

2 Den Schnittlauch waschen, trockenschütteln und in kleine Röllchen schneiden. Basilikum, Petersilie, Oregano und Thymian waschen und trockenschütteln. Die Blätter abzupfen und – bis auf einige für die Dekoration – fein hacken.

3 In einer großen Salatschüssel den Aceto Balsamico mit dem Öl, Senf, Salz und Pfeffer zu einem Dressing verrühren. Die Knoblauchzehen schälen und dazupressen.

4 Die gehackten Kräuter ebenfalls unter das Dressing rühren. Nochmals mit Salz und Pfeffer abschmecken.

5 Die Penne in die Schüssel geben, mit dem Kräuterdressing mischen und etwa 15 Minuten durchziehen lassen. Mit den restlichen Kräutern garniert servieren.

Das Aroma von frischen Kräutern kann sich am besten entfalten, wenn man sie mit einem Wiegemesser fein hackt. Beim Schneiden mit dem Messer werden die Kräuterblätter eher zerquetscht.

Spaghetti-Salat mit Thunfischsauce

Da lacht das Schlemmerherz – ein raffinierter bunter Sommersalat, schnell zubereitet und so richtig zum Sattessen

Zutaten

250 g **Spaghetti** · **Salz**

500 g grüne **Bohnen**

1 Bund **Frühlingszwiebeln**

1 Dose **Thunfisch** (im eigenen Saft)

10 **Kirschtomaten**

2 EL **Weißweinessig**

5 EL **Olivenöl**

1 TL scharfer **Senf**

2 EL **Crème fraîche**

Pfeffer aus der Mühle

Zucker

1 EL getrockneter **Thymian**

1 **Zitrone**

Zubereitung

FÜR 4 PERSONEN

1 Die Spaghetti nach Packungsanweisung in reichlich kochendem Salzwasser bissfest garen. In ein Sieb abgießen, kalt abbrausen und abtropfen lassen.

2 Von den Bohnen die Enden abknipsen und dabei eventuell vorhandene Fäden aus der Naht abziehen. Die Bohnen waschen, in größere Stücke brechen und in reichlich kochendem Salzwasser etwa 10 Minuten garen.

3 Die Frühlingszwiebeln putzen, waschen und in feine Ringe schneiden. Den Thunfisch abtropfen lassen und in kleine Stücke zupfen. Die Kirschtomaten waschen und vierteln.

4 Essig, Öl, Senf und Crème fraîche zu einem Dressing verrühren, mit Salz, Pfeffer und Zucker abschmecken.

5 Die Bohnen in ein Sieb abgießen, abtropfen lassen und sofort mit dem Dressing vermischen. Den Thymian und die Tomaten- und Thunfischstücke unterheben.

6 Die Spaghetti auf eine große Platte geben, die Thunfisch-Bohnen-Mischung darauf anrichten. Die Zitrone achteln und den Salat mit den Zitronenspalten garniert servieren.

Tortiglioni-Salat mit Tintenfisch

Das schmeckt nach Meer: Bei Tintenfisch, Sardellen und Knoblauch werden Erinnerungen an Urlaubstage im sonnigen Süden wach

Zutaten

250 g **Tortiglioni** (oder andere kurze Röhrennudeln)

Salz

2 rote **Paprikaschoten**

1 **Knoblauchzehe**

4 **Sardellenfilets** (in Öl)

5 EL **Olivenöl**

Saft von 1 kleinen **Zitrone**

1 EL getrockneter **Oregano**

Pfeffer aus der Mühle

450 g **Tintenfischtuben** (küchenfertig)

1 Bund **Basilikum**

Zubereitung

FÜR 4 PERSONEN

1 Die Tortiglioni nach Packungsanweisung in reichlich kochendem Salzwasser bissfest garen. In ein Sieb abgießen, kalt abbrausen und abtropfen lassen.

2 Den Backofengrill einschalten. Die Paprikaschoten der Länge nach halbieren, putzen, waschen und mit der Haut nach oben auf den Rost oder das Backblech legen. Die Paprikahälften im Backofen auf der mittleren Schiene etwa 10 Minuten garen, bis die Haut braun wird und Blasen wirft. Die Paprikaschoten etwas abkühlen lassen, häuten und in gleichmäßige schmale Streifen schneiden.

3 Den Knoblauch schälen und mit den Sardellenfilets, 3 EL Öl, dem Zitronensaft und Oregano in einen Rührbecher geben. Mit dem Stabmixer pürieren und die Sauce in eine große Schüssel füllen, mit wenig Salz und Pfeffer würzen.

4 Die Tintenfischtuben waschen, trockentupfen und in Ringe schneiden. Das restliche Öl in einer Pfanne erhitzen. Die Tintenfischringe darin kurz anbraten. Mit Salz und Pfeffer würzen und etwas abkühlen lassen. Tintenfischringe, Paprikastreifen und Tortiglioni in die Schüssel geben und gründlich mit der Sauce vermischen.

5 Das Basilikum waschen und trockenschütteln. Die Blätter von den Stielen zupfen und – bis auf einige für die Dekoration – fein hacken. Die gehackten Basilikumblätter unter den Salat mischen. Den Salat auf einer Platte anrichten und mit dem restlichen Basilikum garniert servieren.

Rotelle-Salat
mit Salami und Rucola

Zubereitung
FÜR 4 PERSONEN

1 Die Rotelle nach Packungsanweisung in reichlich kochendem Salzwasser bissfest garen. In ein Sieb abgießen und dabei etwa 1 Tasse vom Kochwasser zurückbehalten. Die Rotelle kalt abbrausen und abtropfen lassen.

2 Vom Scamorza die dünne braune Rinde entfernen und den Käse in kleine Würfel schneiden. Die Salami ebenfalls in kleine Würfel schneiden und beides mit den Nudeln vermischen.

3 Die Mayonnaise mit Senf, Salz und Pfeffer verrühren, Zitronensaft, Meerrettich, Essig und Öl hinzufügen. Das Dressing mit den Salatzutaten vermischen. Das Nudelkochwasser unterrühren und den Salat mindestens 30 Minuten durchziehen lassen.

4 Kurz vor dem Servieren die Rucolablätter putzen, waschen und trockenschleudern. Die Blätter grob zerkleinern und unter den Nudelsalat heben.

Zutaten

250 g **Rotelle rigate** · **Salz**

130 g **Scamorza** oder

1 Kugel **Mozzarella**

80 g **Mailänder Salami**

4 EL **Mayonnaise**

1 TL **Kräutersenf**

Pfeffer aus der Mühle

Saft von 1 **Zitrone**

1 EL geriebener **Meerrettich**

1 EL **Aceto Balsamico**

1 EL **Nussöl**

1 Bund **Rucola**

Zutaten

350 g **Farfalle**

Salz

4 **Fleischtomaten**

200 g **Mozzarella**

10 schwarze **Oliven** (ohne Stein)

1 Bund **Basilikum**

5 EL **Olivenöl**

2 **Knoblauchzehen**

Pfeffer aus der Mühle

Farfalle-Salat mit Tomaten und Oliven

Zubereitung

FÜR 4 PERSONEN

1 Die Farfalle nach Packungsanweisung in reichlich kochendem Salzwasser bissfest garen. In ein Sieb abgießen, kalt abbrausen und abtropfen lassen.

2 Die Fleischtomaten überbrühen, häuten und entkernen. Das Fruchtfleisch in kleine Würfel schneiden. Den Mozzarella ebenfalls in kleine Würfel schneiden. Die Oliven vierteln. Das Basilikum waschen und trockenschütteln, die Blätter abzupfen und in feine Streifen schneiden.

3 Das Öl in einer tiefen Pfanne erhitzen und die geschälten Knoblauchzehen darin goldbraun braten. Den Knoblauch wieder aus der Pfanne nehmen.

4 Die Farfalle kurz im heißen Knoblauchöl schwenken und in eine große Schüssel geben. Tomaten- und Mozzarellawürfel, Olivenstücke und Basilikum dazugeben und gründlich vermischen. Den Salat mit Salz und Pfeffer pikant abschmecken.

Spaghetti-Salat
mit Avocado und Garnelen

Ein Hauch von Luxus: Edle Meeresfrüchte sorgen dafür, dass diese extravagante Salatkomposition auch verwöhnte Gaumen begeistert

Zutaten

250 g **Spaghetti**

Salz

2 **Avocados**

Saft von 1 **Zitrone**

1 **Knoblauchzehe**

2 EL **Olivenöl**

Pfeffer aus der Mühle

1 rote **Chilischote**

250 g **Garnelen** (küchenfertig)

3 TL eingelegte

grüne **Pfefferkörner**

Zubereitung
FÜR 4 PERSONEN

1 Die Spaghetti nach Packungsanweisung in reichlich kochendem Salzwasser bissfest garen. In ein Sieb abgießen, kalt abbrausen und abtropfen lassen.

2 Die Avocados der Länge nach halbieren und entkernen. Die Avocadohälften schälen und nochmals halbieren, ein Viertel mit etwas Zitronensaft beträufeln und in den Kühlschrank stellen.

3 Den Knoblauch schälen und mit dem Rest der Avocados, dem Öl und dem übrigen Zitronensaft mit dem Stabmixer pürieren. Die Avocadosauce in eine große Schüssel füllen, salzen und pfeffern.

4 Die Spaghetti unter die Sauce mischen und kurz durchziehen lassen. Inzwischen die Chilischote der Länge nach halbieren, entkernen, waschen und in schmale Streifen schneiden.

5 Die Garnelen kalt abspülen und trockentupfen. Mit den Chilistreifen und den Pfefferkörnern unter die Nudeln mischen.

6 Das restliche Avocadoviertel in Scheiben schneiden. Den Salat anrichten und mit den Avocadoscheiben garnieren.

Grüner Pfeffer besteht aus den unreif geernteten grünen Pfefferfrüchten. Er ist milder im Geschmack als schwarzer Pfeffer und wird entweder eingelegt oder gefriergetrocknet angeboten.

Pasta mit Gemüse & Käse

Spaghetti mit Pilzen und Minze

Eine nicht alltägliche Kombination: Pilze aller Art und frische Minze – diese Gaumenfreude sollte man sich nicht entgehen lassen

Zutaten

600 g gemischte frische **Pilze** (je nach Saison Shiitake-Pilze, Champignons, Austernpilze, Pfifferlinge oder Steinpilze)

3 Stiele **Minze**

Salz

400 g **Spaghetti**

2 **Schalotten**

4 EL **Olivenöl**

1 **Knoblauchzehe**

Pfeffer aus der Mühle

Zubereitung

FÜR 4 PERSONEN

1. Die Pilze mit Küchenpapier abreiben und gegebenenfalls waschen. Kleinere Pilze ganz lassen oder halbieren. Bei größeren Pilzen die Stiele aus den Hüten drehen und klein schneiden. Die Pilzhüte quer in Scheiben schneiden.

2. Die Minze waschen und trockenschütteln, die Blätter von den Stielen zupfen. Einige Blätter für die Dekoration beiseite legen, den Rest fein hacken.

3. Reichlich Wasser zum Kochen bringen, salzen und die Spaghetti darin nach Packungsanweisung bissfest garen.

4. Inzwischen die Schalotten schälen und fein hacken. Das Öl in einer Pfanne erhitzen und die Schalotten darin glasig dünsten. Die Pilze dazugeben und kurz mitdünsten.

5. Die Knoblauchzehe schälen und dazupressen. Die gehackte Minze hinzufügen und alles einige Minuten bei schwacher Hitze mitgaren lassen. Mit Salz und Pfeffer würzen.

6. Die Spaghetti in ein Sieb abgießen und abtropfen lassen. Mit dem Pilzragout mischen und mit den Minzeblättern garniert servieren.

Pappardelle
mit Gorgonzolasauce

Lust auf ausgefallene Kreationen? Birnen und Gorgonzola – eine klassische Kombination für die Pasta-Küche neu entdeckt

Zutaten

500 g **Staudensellerie** (mit Grün)

2 EL **Butter**

Salz

400 g **Pappardelle**

250 g **Gorgonzola**

200 g **Sahne**

Pfeffer aus der Mühle

4 EL **Pinienkerne**

1 kleine **Birne** (z. B. Williams)

Zubereitung

FÜR 4 PERSONEN

1 Den Staudensellerie putzen und waschen. Die Stangen schräg in dünne Scheiben schneiden, das Grün für die Dekoration beiseite legen.

2 Die Butter in einem Topf erhitzen und die Selleriescheiben darin bei mittlerer Hitze etwa 5 Minuten dünsten.

3 Reichlich Wasser zum Kochen bringen, salzen und die Pappardelle darin nach Packungsanweisung bissfest garen.

4 Inzwischen den Gorgonzola klein schneiden. Einige Stücke beiseite legen, den Rest mit der Sahne zu den Selleriescheiben geben. Kurz aufkochen und den Käse unter Rühren bei kleiner Hitze schmelzen. Die Sauce kurz köcheln lassen, mit Salz und Pfeffer kräftig würzen.

5 Die Pinienkerne in einer Pfanne ohne Fett goldbraun rösten. Die Birne waschen, halbieren, entkernen und in Spalten schneiden.

6 Die Pappardelle in ein Sieb abgießen und abtropfen lassen. In einer Schüssel mit der Gorgonzolasauce und den Birnenspalten anrichten, die gerösteten Pinienkerne und die restlichen Käsestücke darüber streuen. Mit dem Selleriegrün garnieren und nach Belieben mit grob gemahlenem Pfeffer bestreuen.

Noch pikanter wird die Sauce, wenn Sie statt Gorgonzola den würzigeren Roquefort nehmen. Wer es dagegen milder mag, verwendet am besten cremigen Sahne-Gorgonzola mit Mascarpone.

Makkaroni
mit Spinat-Ricotta-Sauce

Zubereitung
FÜR 4 PERSONEN

1 Den Spinat putzen und waschen. In kochendem Salzwasser kurz blanchieren, gut ausdrücken und grob hacken.

2 Reichlich Wasser zum Kochen bringen, salzen und die Makkaroni darin nach Packungsanweisung bissfest garen.

3 Inzwischen das Öl in einem Topf erhitzen und den gehackten Spinat darin kurz andünsten. Den Knoblauch schälen und dazupressen, mit Salz, Pfeffer und Muskatnuss würzen.

4 Die Rosinen unter den Spinat rühren und kurz mitdünsten. Pinienkerne in einer Pfanne ohne Fett goldbraun rösten.

5 Die Makkaroni in ein Sieb abgießen und abtropfen lassen. In einer vorgewärmten Schüssel mit 1 EL Butter und dem Spinat vermischen.

6 Die Pinienkerne und den grob zerkleinerten Ricotta darüber geben und nochmals alles gut mischen.

Zutaten

450 g junger **Spinat**

Salz

2 EL **Olivenöl**

2 **Knoblauchzehen**

Pfeffer aus der Mühle

1 Prise frisch geriebene **Muskatnuss**

400 g **Makkaroni**

50 g **Rosinen**

3 EL **Pinienkerne**

1 EL **Butter**

150 g **Ricotta**

Zutaten

150 g durchwachsener **Räucherspeck**

100 g schwarze **Oliven**

1 **Schalotte**

Salz · 400 g **Pappardelle**

2 EL **Olivenöl**

1 **Knoblauchzehe**

3 Stiele **Basilikum**

1 TL **Speisestärke**

100 ml **Gemüsebrühe**

100 g frisch geriebener **Parmesan**

Pfeffer aus der Mühle

Pappardelle
mit Oliven-Basilikum-Sauce

Zubereitung
FÜR 4 PERSONEN

1 Den Speck in feine Streifen schneiden. Die Oliven halbieren, entsteinen und ebenfalls in feine Streifen schneiden. Die Schalotte schälen und fein hacken.

2 Reichlich Wasser zum Kochen bringen, salzen und die Pappardelle darin nach Packungsanweisung bissfest garen.

3 Inzwischen das Öl erhitzen und die Schalotten darin glasig dünsten. Den Speck dazugeben und anbraten.

4 Die Knoblauchzehe schälen und dazupressen. Die Oliven und die gewaschenen und gehackten Basilikumblätter unterrühren.

5 Die Speisestärke in einer Tasse mit der Gemüsebrühe anrühren. Zu der Sauce geben und einmal aufkochen. Den Parmesan einrühren und die Sauce mit Salz und Pfeffer abschmecken. Die Pappardelle in ein Sieb abgießen, abtropfen lassen und mit der Sauce mischen.

Fettuccine
mit Paprikagemüse

Eine Pasta-Variation, wie sie nicht nur die Sizilianer lieben: Mit Paprikaschoten und frischen Kräutern kommt südliche Sonne auf den Tisch

Zutaten

2 gelbe **Paprikaschoten**

2 rote **Paprikaschoten**

2 **Knoblauchzehen**

1 Bund glatte **Petersilie**

1 Bund **Basilikum**

Salz

400 g **Fettuccine**

(oder Tagliatelle)

1 EL **Butter**

⅛ l **Gemüsebrühe**

⅛ l trockener **Weißwein**

2 EL **Aceto Balsamico**

Pfeffer aus der Mühle

Zubereitung

FÜR 4 PERSONEN

1 Die Paprikaschoten längs halbieren und entkernen. Die Paprikahälften waschen und in feine Streifen schneiden. Die Knoblauchzehen schälen und fein hacken.

2 Die Petersilie und das Basilikum waschen und trockenschütteln, die Blätter von den Stielen zupfen. Einige Basilikumblätter für die Dekoration beiseite legen, den Rest fein hacken.

3 Reichlich Wasser zum Kochen bringen, salzen und die Fettuccine darin nach Packungsanweisung bissfest garen.

4 Inzwischen in einer großen Pfanne die Butter erhitzen, den Knoblauch und die Paprikastreifen darin kurz andünsten. Die Gemüsebrühe und den Weißwein angießen und alles etwa 8 Minuten dünsten. Das Paprikagemüse mit Aceto Balsamico würzen und mit Salz und Pfeffer abschmecken.

5 Die Fettuccine in ein Sieb abgießen und abtropfen lassen. Mit dem Paprikagemüse in der Pfanne vermischen und kurz erhitzen. Die gehackten Kräuter unter die Nudelpfanne rühren. Mit den beiseite gelegten Basilikumblättern garniert servieren.

Der würzige, lang gereifte Aceto Balsamico eignet sich nicht nur hervorragend zum Verfeinern von Salatdressings. Er verleiht auch deftigen Gemüsesaucen ein feines Aroma.

Farfalle
mit Sauerampfersauce

Pasta-Fantasie **in Grün und Weiß: Sauerampfer und Schmetterlingsnudeln verbinden sich zu einem extravaganten** Frühlingsgericht

Zutaten

1 große **Salatgurke**

50 g **Sauerampfer**

Salz

400 g **Farfalle**

2 EL **Butter**

4 EL geschälte **Pistazien**

150 g **Sahnejoghurt**

2 EL **Limettensaft**

Pfeffer aus der Mühle

1 unbehandelte **Limette**

Zubereitung
FÜR 4 PERSONEN

1 Die Gurke waschen, längs halbieren und entkernen. Das Fruchtfleisch in feine Streifen schneiden. Den Sauerampfer waschen und trockenschütteln. Einige Blätter für die Dekoration beiseite legen, den Rest in sehr feine Streifen schneiden.

2 Reichlich Wasser zum Kochen bringen, salzen und die Farfalle darin nach Packungsanweisung bissfest garen.

3 Inzwischen die Butter in einer großen Pfanne erhitzen und die Gurkenstreifen darin 5 Minuten dünsten. Die Pistazien im elektrischen Zerhacker mahlen. Mit dem Sahnejoghurt und dem Limettensaft vermischen und unter die Gurkenstreifen rühren. Mit Salz und Pfeffer kräftig abschmecken.

4 Die Farfalle in ein Sieb abgießen, abtropfen lassen und mit der Joghurtsauce mischen. Mit den beiseite gelegten Sauerampferblättern auf Tellern anrichten und die Sauerampferstreifen darüber streuen. Die Limette heiß abwaschen, trockenreiben und in Spalten schneiden. Die Farfalle mit den Limettenspalten und nach Belieben mit einigen Limettenzesten garniert servieren.

Die klein geschnittenen Sauerampferblätter können ihr feines, erfrischendes Aroma noch besser entfalten, wenn sie vor dem Servieren kurz in heißem Öl angedünstet werden.

Penne
mit Tomaten und Pesto

Zubereitung
FÜR 4 PERSONEN

1 Für das Pesto das Basilikum waschen, trockenschütteln und die Blätter von den Stielen zupfen. 3 Knoblauchzehen schälen und halbieren. Die Basilikumblätter – bis auf einige für die Dekoration – mit Knoblauch und Pinienkernen im Mixer zerkleinern. 50 g vom Parmesan und 1 Prise Salz hinzufügen, nach und nach 100 ml Olivenöl dazugeben und gut untermischen.

2 Reichlich Wasser zum Kochen bringen, salzen und die Penne darin nach Packungsanweisung bissfest garen.

3 Inzwischen die Tomaten waschen, vierteln, entkernen und in kleine Würfel schneiden. Das restliche Öl in einem großen Topf erhitzen, die Tomaten darin dünsten. Die letzte Knoblauchzehe schälen und dazupressen. 6 EL Pesto einrühren, mit Salz und Pfeffer abschmecken.

4 Die Penne in ein Sieb abgießen und abtropfen lassen, zu den Tomaten geben und kurz erwärmen. Mit dem restlichen Parmesan und Basilikumblättern garniert servieren. Das restliche Pesto kühl im Schraubglas aufbewahren.

Zutaten

3 Bund **Basilikum**

4 **Knoblauchzehen**

100 g **Pinienkerne**

75 g frisch geriebener **Parmesan**

Salz

120 ml **Olivenöl**

500 g **Penne lisce**

6 **Tomaten**

Pfeffer aus der Mühle

Zutaten

1 Bund **Frühlingszwiebeln**

1 unbehandelte **Zitrone**

Salz

400 g **Spaghetti**

1 EL **Butter**

150 g **Schafskäse**

200 g **Sahne**

Pfeffer aus der Mühle

Spaghetti mit Schafskäse

Zubereitung

FÜR 4 PERSONEN

1 Die Frühlingszwiebeln putzen und waschen. Die Hälfte der Frühlingszwiebeln in Ringe, den Rest längs in schmale Streifen schneiden.

2 Die Zitrone heiß abwaschen und halbieren. Eine Hälfte auspressen, die andere in dünne Scheiben schneiden.

3 Reichlich Wasser zum Kochen bringen, salzen und die Spaghetti darin nach Packungsanweisung bissfest garen.

4 Inzwischen die Butter in einer Pfanne erhitzen, die Frühlingszwiebelstreifen darin andünsten. Den grob zerkleinerten Schafskäse – bis auf 3 EL – mit der Sahne und 1 EL Zitronensaft mit dem Stabmixer pürieren. Die Käsesahne in die Pfanne geben, unterrühren und kurz köcheln lassen.

5 Die Sauce mit Salz und Pfeffer abschmecken und mit den abgetropften Nudeln anrichten. Mit Zwiebelringen, Zitronenscheiben und dem restlichen Schafskäse garnieren.

Spaghettini mit getrockneten Tomaten

Ein Pasta-Gericht, das süchtig macht: Sonnenverwöhnte Tomaten und frischer Portulak sorgen für ein einzigartiges Aroma

Zutaten

400 g **Frühlingszwiebeln**

3 **Knoblauchzehen**

200 g getrocknete **Tomaten** (in Öl)

Salz

400 g **Spaghettini**

4 EL **Olivenöl**

Pfeffer aus der Mühle

80 g **Portulak**

50 g **Pecorino** (am Stück)

Zubereitung

FÜR 4 PERSONEN

1 Die Frühlingszwiebeln putzen, waschen und in feine Röllchen schneiden.

2 Die Knoblauchzehen schälen und fein hacken. Die getrockneten Tomaten auf Küchenpapier abtropfen lassen und in feine Streifen schneiden.

3 Reichlich Wasser zum Kochen bringen, salzen und die Spaghettini darin nach Packungsanweisung bissfest garen.

4 Inzwischen das Öl in einem großen Topf erhitzen. Den Knoblauch, die getrockneten Tomaten und die Frühlingszwiebeln darin etwa 8 Minuten dünsten, mit Salz und Pfeffer würzen.

5 Den Portulak waschen, trockenschütteln und die Blätter abzupfen. Die Spaghettini in ein Sieb abgießen und abtropfen lassen. Im Topf mit den Tomaten mischen und kurz erhitzen. Mit dem Portulak garnieren und den Pecorino darüber hobeln.

Portulakblätter sollten möglichst frisch verwendet und nicht erhitzt werden. Da das Kraut leicht salzig schmeckt, empfiehlt es sich, die Pasta-Sauce nur vorsichtig zu würzen.

Penne
mit Kräuter-Käse-Sauce

Zubereitung
FÜR 4 PERSONEN

1 Die Petersilie waschen, trockenschütteln und die Blätter von den Stielen zupfen. Einige Blätter für die Dekoration beiseite legen, den Rest grob hacken. Die Knoblauchzehe schälen und halbieren. Mit der Petersilie, dem Zitronensaft, 3 EL Öl und den Pinienkernen im Mixer zu einer feinen Paste pürieren.

2 Reichlich Wasser zum Kochen bringen, salzen und die Penne darin nach Packungsanweisung bissfest garen.

3 Inzwischen den Gouda grob raspeln und mit der Crème fraîche unter die Kräutersauce rühren. Mit Salz und Pfeffer kräftig würzen. Die beiseite gelegten Petersilienblätter in 4 EL Öl 1 Minute frittieren.

4 Die Penne in ein Sieb abgießen, abtropfen lassen und sofort mit der Käse-Kräuter-Sauce vermischen. Mit den Schnittlauchhalmen und den frittierten Petersilienblättern garniert servieren.

Zutaten

2 Bund glatte **Petersilie**

1 **Knoblauchzehe**

1 EL **Zitronensaft**

7 EL **Olivenöl**

3 EL **Pinienkerne**

Salz

400 g **Penne lisce**

100 g mittelalter **Gouda** (am Stück)

2 EL **Crème fraîche**

Pfeffer aus der Mühle

einige **Schnittlauchhalme**

Zutaten

250 g braune **Linsen**

2 **Tomaten** · 1 **Möhre**

1 Stange **Staudensellerie**

2 **Knoblauchzehen**

4 EL **Olivenöl**

1 **Zwiebel** (in feine Würfel geschnitten)

1 grüne **Chilischote**

(in feine Streifen geschnitten)

1/8 l trockener **Weißwein**

Salz · **Pfeffer** aus der Mühle

2 EL **Aceto Balsamico**

400 g **Linguine** (oder Spaghetti)

1 Bund **Rucola**

Linguine mit Balsamico-Linsen

Zubereitung

FÜR 4 PERSONEN

1 Die Linsen waschen und mit Wasser bedeckt über Nacht einweichen. Das Einweichwasser aufheben.

2 Die Tomaten waschen, überbrühen, häuten, entkernen und würfeln. Die Möhre schälen und fein würfeln. Die Selleriestange waschen und in feine Scheiben schneiden.

3 Die Knoblauchzehen schälen und fein hacken. Das Öl erhitzen, Zwiebelwürfel, Chilistreifen und Knoblauch darin andünsten. Die Linsen mit Einweichwasser und den Wein hinzufügen und alles 30 Minuten köcheln lassen. 10 Minuten vor Garzeitende das vorbereitete Gemüse dazugeben. Mit Salz, Pfeffer und Aceto Balsamico würzen.

4 Die Linguine nach Packungsanweisung in reichlich kochendem Salzwasser bissfest garen. Rucola putzen, waschen und trockenschleudern. Die Nudeln abgießen und abtropfen lassen, Balsamico-Linsen und Rucola untermischen.

Spaghetti mit Basilikum

Einfach, aber unübertroffen: Würziges Knoblauch-Kräuter-Öl und herzhafter Käse garantieren ein Geschmackserlebnis der besonderen Art

Zutaten

500 g **Spaghetti**

Salz

4 Bund **Basilikum**

2 **Knoblauchzehen**

8 EL **Olivenöl**

Pfeffer aus der Mühle

50 g **Pecorino** (am Stück)

Zubereitung

FÜR 4 PERSONEN

1 Die Spaghetti nach Packungsanweisung in reichlich kochendem Salzwasser bissfest garen.

2 Das Basilikum waschen und trockenschütteln, die Blätter von den Stielen zupfen. Etwa 20 Blätter für die Dekoration beiseite legen, den Rest in feine Streifen schneiden. Die Knoblauchzehen schälen.

3 Inzwischen 4 EL Öl in einer Pfanne erhitzen, die Basilikumstreifen darin kurz andünsten und den Knoblauch dazupressen.

4 Die Spaghetti in ein Sieb abgießen und abtropfen lassen. In die Pfanne zu dem Knoblauch-Kräuter-Öl geben und gut untermischen. Mit Salz und Pfeffer abschmecken.

5 Das restliche Öl in einer zweiten Pfanne erhitzen, die beiseite gelegten Basilikumblätter darin 1 Minute frittieren. Auf Küchenpapier abtropfen lassen, das Öl zu den Basilikum-Spaghetti geben.

6 Die Nudeln mit den frittierten Basilikumblättern auf einer Platte anrichten und den Pecorino mit dem Sparschäler darüber hobeln.

Frittierte Kräuterblätter haben ein ganz besonderes Aroma und sind das i-Tüpfelchen auf jedem Gericht. Probieren Sie auch einmal durch Backteig gezogene und dann frittierte Salbeiblätter.

Pappardelle
mit Tomaten-Rucola-Sauce

Ein Klassiker wird variiert: Die beste **Basis** für eine Vielzahl von Pasta-Saucen ist nach wie vor eine **hausgemachte** Tomatensauce

Zutaten

300 g **Rucola**

1 kg vollreife **Tomaten**

150 g **Zwiebeln**

2 **Knoblauchzehen**

Salz

400 g **Pappardelle**

3 EL **Olivenöl**

2 EL **Aceto Balsamico**

Pfeffer aus der Mühle

Zucker

50 g **Parmesan** (am Stück)

2 EL **Ricotta**

Zubereitung
FÜR 4 PERSONEN

1 Den Rucola putzen, waschen und trockenschleudern. Die Tomaten waschen, überbrühen, häuten, entkernen und in Würfel schneiden.

2 Die Zwiebeln schälen und fein hacken. Die Knoblauchzehen schälen und ebenfalls fein hacken.

3 Reichlich Wasser zum Kochen bringen, salzen und die Pappardelle darin nach Packungsanweisung bissfest garen.

4 Inzwischen das Öl in einer Pfanne erhitzen, die Zwiebeln und den Knoblauch darin glasig dünsten. Die Tomatenwürfel dazugeben und etwa 8 Minuten mitdünsten. Mit Aceto Balsamico, Salz, Pfeffer und Zucker abschmecken und warm halten.

5 Den Parmesan mit dem Sparschäler fein hobeln und den Ricotta grob zerkleinern.

6 Die Pappardelle in ein Sieb abgießen, abtropfen lassen und mit der Tomatensauce anrichten. Die Rucolablätter untermischen, mit dem Ricotta und den Parmesanhobeln bestreut servieren.

Sonnenverwöhnte Tomaten geben der Sauce ihren besonderen Geschmack. Im Winter sollten Sie lieber auf Dosentomaten zurückgreifen; sie haben im Vergleich zu frischer Ware das bessere Aroma.

Safrannudeln
mit grünem Gemüse

Zubereitung
FÜR 4 PERSONEN

1 Aus Mehl, Eigelb, Eiern, ½ TL Salz, Safran und 1 EL warmem Wasser einen glatten Teig kneten (siehe Seite 8). Den Teig zu einer Kugel formen und mit Frischhaltefolie umhüllt mindestens 30 Minuten ruhen lassen.

2 Inzwischen das Gemüse waschen. Den Brokkoli putzen und in Röschen teilen, den Stiel schälen. Den Zucchino der Länge nach vierteln und in kleine Stücke schneiden. Von den Zuckerschoten die Enden abknipsen. Den Spargel im unteren Drittel schälen und schräg in Stücke schneiden.

3 In einem Topf ausreichend Salzwasser erhitzen und das Gemüse darin nacheinander blanchieren. Eiskalt abschrecken und gut abtropfen lassen.

4 Den Nudelteig dünn ausrollen und in breite Streifen schneiden. In reichlich kochendem Salzwasser bissfest garen und in ein Sieb abgießen. Die Butter in einem Topf aufschäumen und das Gemüse hineingeben. Die Brühe angießen, den Safran dazugeben, salzen und pfeffern. Nudeln, Schnittlauch und Parmesan untermischen.

Zutaten

350 g **Weizenmehl** (Type 405)

4 **Eigelb** · 2 **Eier**

Salz · 1 Msp gemahlener **Safran**

150 g **Brokkoli**

1 kleiner **Zucchino** · 100 g **Zuckerschoten**

100 g grüner **Spargel**

4 EL **Butter** · 6–8 EL **Gemüsebrühe**

1 Döschen **Safranfäden**

Pfeffer aus der Mühle

einige **Schnittlauchhalme**

50 g frisch geriebener **Parmesan**

Zutaten

6 junge, kleine **Artischocken**

Saft von ½ **Zitrone**

Salz

400 g **Penne rigate**

3 EL **Olivenöl**

1 geschälte **Knoblauchzehe**

2 EL **Butter**

5 EL trockener **Weißwein**

Pfeffer aus der Mühle

2 EL fein gehackte **Petersilie**

50 g frisch geriebener **Parmesan**

Penne mit Artischocken

Zubereitung

FÜR 4 PERSONEN

1 Von den Artischocken die äußeren Blätter entfernen, den Stiel und die harten Blattspitzen mit einem scharfen Messer abschneiden. Das Heu im Inneren mit einem kleinen Löffel herauslösen und die Artischocken in Scheiben schneiden. Sofort in eine Schüssel mit Zitronenwasser legen, damit sie sich nicht verfärben.

2 Reichlich Wasser zum Kochen bringen, salzen und die Penne darin nach Packungsanweisung bissfest garen.

3 Inzwischen das Öl in einer Pfanne erhitzen und den Knoblauch darin goldbraun braten. Herausnehmen und die Artischocken darin bei starker Hitze goldbraun braten. Die Butter dazugeben, den Weißwein angießen und alles zugedeckt bei schwacher Hitze einige Minuten garen.

4 Mit Salz und Pfeffer würzen und die gut abgetropften Penne sowie die frisch gehackte Petersilie dazugeben. Gründlich vermischen, mit Parmesan bestreut servieren.

Spaghetti
mit grünem Spargel

Kleiner Aufwand, große **Wirkung:** Mit grünem Spargel in sahniger Sauce können Sie schnell und **unkompliziert** nicht nur Ihre Gäste verwöhnen

Zutaten

1 kg grüner **Spargel**

2 **Schalotten**

Salz

400 g **Spaghetti**

2 EL **Butter**

200 ml **Gemüsebrühe**

200 g **Mascarpone**

Pfeffer aus der Mühle

1 Kästchen **Kresse**

Zubereitung

FÜR 4 PERSONEN

1 Den Spargel waschen, im unteren Drittel schälen und in etwa 4 cm lange Stücke schneiden. Die Schalotten schälen und fein hacken.

2 Reichlich Wasser zum Kochen bringen, salzen und die Spaghetti darin nach Packungsanweisung bissfest garen.

3 Inzwischen die Butter in einem Topf erhitzen und die Schalotten darin glasig dünsten. Den Spargel dazugeben und kurz mitdünsten. Die Gemüsebrühe angießen und den Mascarpone unterrühren. Etwa 10 Minuten köcheln lassen, mit Salz und Pfeffer würzen.

4 Die Spaghetti in ein Sieb abgießen, abtropfen lassen und mit der Sauce mischen.

5 Die Kresse abbrausen, die Blättchen abschneiden und untermischen oder als Sträußchen garnieren.

Den Mascarpone kann man durch Doppelrahmfrischkäse ersetzen. Zusätzliche Würze bekommmt die Sauce, wenn Sie Frischkäse mit Kräutern, schwarzem Pfeffer oder Meerrettich verwenden.

Spaghetti mit sizilianischem Gemüse

Ein buntes Pasta-Vergnügen aus dem Süden Italiens: Geschmorte Paprikaschoten mit feiner Essignote sind bei diesem Rezept der Clou

Zutaten

je 200 g rote, grüne und gelbe **Paprikaschoten**

250 g weiße **Zwiebeln**

4 EL **Olivenöl**

3 EL **Rotweinessig**

240 g geschälte **Tomaten** (aus der Dose)

1 EL **Aceto Balsamico**

Zucker · **Salz**

Pfeffer aus der Mühle

400 g **Spaghetti**

4 EL **Kapern**

100 g **Pecorino** (am Stück)

Zubereitung

FÜR 4 PERSONEN

1 Die Paprikaschoten längs halbieren und entkernen. Die Paprikahälften waschen und in etwa 2 cm große Rauten schneiden. Die Zwiebeln schälen und längs in breite Scheiben schneiden.

2 In einem großen Topf das Öl erhitzen, die Zwiebeln und die Paprikastücke darin einige Minuten andünsten. Den Rotweinessig und die Tomaten dazugeben, die Tomaten mit einer Gabel grob zerkleinern. Das Gemüseragout mit Aceto Balsamico, Zucker, Salz und Pfeffer kräftig abschmecken.

3 Reichlich Wasser zum Kochen bringen, salzen und die Spaghetti darin nach Packungsanweisung bissfest garen.

4 Inzwischen das Gemüseragout bei kleiner Hitze köcheln lassen. Nach etwa 15 Minuten die Kapern zum Gemüse geben und untermischen. Den Gemüsesugo noch etwas ziehen lassen.

5 Den Pecorino mit dem Sparschäler in feine Späne hobeln. Die Spaghetti in ein Sieb abgießen und abtropfen lassen. Mit dem Gemüsesugo und dem gehobelten Pecorino anrichten und nach Belieben mit einigen frischen Thymianzweigen garnieren.

Noch aromatischer wird das Gemüsesugo, wenn Sie einige in Öl eingelegte Tomaten klein schneiden und unterrühren. Wer es scharf mag, gibt eine gehackte rote Chilischote dazu.

Pasta mit Fisch & Fleisch

Lasagneblätter
mit Gemüse und Garnelen

Hier wird erst zum Schluss geschichtet **– ein Pasta-Gericht für besondere Anlässe mit** edlen **Garnelen und einer feinen Weißweinsauce**

Zutaten

4 große **Möhren**

1 Bund **Frühlingszwiebeln**

3 EL **Butter**

500 g **Garnelen** (küchenfertig)

Salz · **Pfeffer** aus der Mühle

8 **Lasagneblätter**

1 EL **Pflanzenöl**

2 **Schalotten**

¼ l trockener **Weißwein**

200 g **Crème fraîche**

Saft von ½ **Zitrone**

Zubereitung

FÜR 4 PERSONEN

1 Die Möhren schälen, die Frühlingszwiebeln putzen und waschen. Die Möhren in Scheiben oder kleine Würfel, die Frühlingszwiebeln schräg in kleine Stücke schneiden. In einem Topf 2 EL Butter erhitzen und das Gemüse darin bissfest dünsten.

2 Die Garnelen kalt abbrausen und trockentupfen. Zu dem Gemüse geben und kurz mitgaren. Mit Salz und Pfeffer kräftig würzen und warm stellen.

3 Die Lasagneblätter in reichlich kochendem Salzwasser mit 1 EL Öl weich garen (auch bei Lasagneblättern ohne Vorkochen!). Die Nudelplatten mit dem Schaumlöffel einzeln aus dem Wasser nehmen und nebeneinander auf einem Küchentuch abtropfen lassen.

4 Inzwischen die Schalotten schälen und fein hacken. In 1 EL Butter andünsten, mit Weißwein ablöschen und auf die Hälfte einkochen lassen. Die Crème fraîche unterrühren und nochmals 2 Minuten köcheln lassen. Mit Salz, Pfeffer und Zitronensaft abschmecken.

5 Die Lasagneblätter halbieren und je 4 halbe Blätter mit Garnelen, Gemüse und Schalottensauce auf vorgewärmte Teller schichten.

Conchiglie
mit Forelle und Fenchel

Einfach unwiderstehlich: Kombiniert mit Anisschnaps, Fenchel und Forellenfilet wird aus schlichter Pasta ein raffiniertes Gourmetgericht

Zutaten

2 Stangen **Lauch**

1 **Fenchelknolle**

1 Bund **Estragon**

Salz

400 g **Conchiglie**

2 EL **Butter**

4 EL **Anisschnaps** (z. B. Pernod)

6 EL **Sahne**

4 geräucherte **Forellenfilets** (ca. 500 g)

Pfeffer aus der Mühle

Zubereitung

FÜR 4 PERSONEN

1 Lauch und Fenchel putzen, waschen und in dünne Scheiben schneiden. Das Fenchelgrün für die Dekoration beiseite legen.

2 Den Estragon waschen und trockenschütteln, die Blätter von den Stielen zupfen. Einige Blätter für die Dekoration beiseite legen, den Rest fein hacken.

3 Reichlich Wasser zum Kochen bringen, salzen und die Conchiglie darin nach Packungsanweisung bissfest garen.

4 Inzwischen die Butter in einem Topf erhitzen, die Lauch- und Fenchelscheiben darin etwa 4 Minuten dünsten. Den Anisschnaps und die Sahne dazugeben und die Gemüsesauce 5 Minuten bei kleiner Hitze köcheln lassen.

5 Die Forellenfilets schräg in ca. 1 cm breite Stücke schneiden. Die Fischstücke und den gehackten Estragon in die Sauce geben und kurz ziehen lassen, mit Salz und Pfeffer abschmecken.

6 Die Conchiglie in ein Sieb abgießen und abtropfen lassen. Mit der Sauce anrichten und mit dem Fenchelgrün und den Estragonblättern garniert servieren.

Eine raffinierte Variante für das Forellenragout: statt der Fenchelknolle je 1 Bund Rucola und glatte Petersilie verwenden und die Sauce dann mit Zitronensaft anstelle von Anisschnaps abschmecken.

Spaghetti
mit Garnelen und Tomaten

Zubereitung
FÜR 4 PERSONEN

1 Die Artischockenherzen auf Küchenpapier abtropfen lassen und der Länge nach vierteln. Die Tomaten waschen, überbrühen, häuten, entkernen und in kleine Würfel schneiden.

2 Die Garnelen abbrausen und trockentupfen. Die Frühlingszwiebeln putzen, waschen und in feine Ringe schneiden.

3 Reichlich Wasser zum Kochen bringen, salzen und die Spaghetti darin nach Packungsanweisung bissfest garen.

4 Inzwischen das Öl in einer breiten Pfanne erhitzen und die Zwiebeln darin weich dünsten. Die Garnelen und die Artischocken dazugeben und kurz mitbraten. Die Tomatenwürfel hinzufügen und ebenfalls kurz mitgaren.

5 Den Sherry, die Sahne und den grünen Pfeffer unterrühren. Mit Salz und Cayennepfeffer kräftig würzen.

6 Die Spaghetti in ein Sieb abgießen und abtropfen lassen. Mit der Sauce anrichten, mit Estragonblättern garnieren.

Zutaten

8 marinierte **Artischockenherzen**

(aus dem Glas)

4 große **Tomaten**

250 g **Garnelen** (küchenfertig)

3 **Frühlingszwiebeln**

Salz · 400 g **Spaghetti**

2 EL **Olivenöl**

100 ml trockener **Sherry** · 200 g **Sahne**

2 EL eingelegte grüne **Pfefferkörner**

1 Msp **Cayennepfeffer**

einige **Estragonblätter**

Zutaten

1 kg **Venusmuscheln**

150 g **Tomaten**

4 EL **Olivenöl**

2 fein gehackte **Knoblauchzehen**

400 g **Vermicelli**

Salz

½ Bund glatte **Petersilie**

Pfeffer aus der Mühle

Vermicelli mit Venusmuscheln

Zubereitung

FÜR 4 PERSONEN

1 Die Muscheln abbürsten und waschen. Muscheln, die sich beim Waschen nicht öffnen, aussortieren.

2 Die Tomaten waschen, überbrühen, häuten, entkernen und würfeln. 2 EL Öl erhitzen und den Knoblauch darin glasig dünsten. Die Muscheln dazugeben und zugedeckt etwa 5 Minuten garen, bis sich die Muscheln öffnen. Geschlossene Muscheln wegwerfen. Die Muscheln auslösen und den Sud durch eine Filtertüte gießen.

3 Die Vermicelli nach Packungsanweisung in reichlich kochendem Salzwasser bissfest garen.

4 Inzwischen die Petersilie waschen, trockenschütteln und die Blätter fein hacken. Das restliche Öl erhitzen und die Tomaten darin andünsten. Die Muscheln, den Sud und die Petersilie hinzufügen, alles etwa 3 Minuten erhitzen, salzen und pfeffern. Die Vermicelli in ein Sieb abgießen, abtropfen lassen und mit der Muschelsauce servieren.

Strozzapreti
mit Lachs-Sahne-Sauce

Für Gäste aufs Beste kombiniert: Nudeln mit Räucherlachs und sahniger Kräutersauce garantieren erlesene Tafelfreuden

Zutaten

400 g **Strozzapreti**
(oder Pennette)
Salz
1 Bund gemischte **Kräuter**
(z. B. Basilikum,
Oregano, Rosmarin)
1 EL **Butter** · 250 g **Sahne**
2 EL **Zitronensaft**
400 g geräucherter **Lachs**
Pfeffer aus der Mühle

Zubereitung
FÜR 4 PERSONEN

1 Die Strozzapreti nach Packungsanweisung in reichlich kochendem Salzwasser bissfest garen.

2 Inzwischen die Kräuter waschen, trockenschütteln und die Blätter von den Stielen zupfen. Einige Kräuterblätter für die Dekoration beiseite legen, den Rest in feine Streifen schneiden.

3 Die Butter in einer Pfanne erhitzen. Die Kräuterstreifen darin kurz andünsten. Die Sahne und den Zitronensaft dazugeben und alles etwa 4 Minuten dünsten.

4 Den Lachs in Streifen schneiden und kurz in der Sauce erwärmen. Mit Salz und Pfeffer abschmecken.

5 Die Strozzapreti in ein Sieb abgießen und abtropfen lassen. Mit der Sauce vermischen und mit den Kräuterblättern garniert servieren.

Ein Tipp für festliche Anlässe: Noch edler wird das Gericht, wenn Sie die Kräuter durch Brunnenkresse ersetzen und die angerichteten Nudeln mit Kapuzinerkresseblüten garnieren.

Kräuternudeln
mit Fischragout

Das Auge isst mit: Ganze Kräuterblättchen im selbst gemachten Nudelteig sind bei diesem Rezept das Tüpfelchen auf dem i

Zutaten

300 g **Weizenmehl** (Type 405)

3 **Eigelb** · 1 **Ei**

Salz

einige **Kapuzinerkresse-blüten** und **-blätter**

200 g frisches **Lachsfilet**

4 ausgelöste **Jakobsmuscheln**

6 **Garnelen**

200 ml **Fischfond** · 200 g **Sahne**

Pfeffer aus der Mühle

1 Döschen **Safranfäden**

1 Msp **Cayennepfeffer**

3 EL **Olivenöl**

2 EL **Noilly Prat**

3 EL **Butter**

Zubereitung

FÜR 4 PERSONEN

1 Aus Mehl, Eigelb, Ei, ½ TL Salz und 1 EL warmem Wasser einen Nudelteig kneten (siehe Seite 8) und mit Hilfe der Nudelmaschine oder mit dem bemehlten Nudelholz dünn ausrollen.

2 Die Hälfte jedes Nudelstreifens mit Kresseblüten und -blättern belegen, die zweite Hälfte darüber schlagen und noch einmal bei gleicher Stärkeeinstellung durch die Nudelmaschine laufen lassen oder mit dem Nudelholz gleichmäßig ausrollen.

3 Die Teigplatten in etwa 3 cm breite Streifen schneiden. Die Kräuternudeln mit Mehl bestäubt mindestens 30 Minuten ruhen lassen.

4 Für das Fischragout den Lachs in etwa 2 cm große Würfel schneiden. Das Fleisch der Jakobsmuscheln vom Corail trennen und ebenfalls in Würfel schneiden. Die Garnelen aus den Schalen brechen und den schwarzen Darm am Rücken entfernen.

5 Den Fischfond mit der Sahne, Pfeffer, Safran und Cayennepfeffer bei starker Hitze sämig einkochen lassen.

6 In einer Pfanne 2 EL Öl erhitzen und die Garnelen darin 2 Minuten anbraten. Jakobsmuscheln und Lachswürfel dazugeben und kurz durchschwenken. Noilly Prat angießen, einkochen lassen und unter die eingekochte Fischsauce mischen.

7 Die Kräuternudeln in kochendem Salzwasser mit einem 1 EL Öl bissfest garen. In ein Sieb abgießen und abtropfen lassen. Die Butter in einem Topf aufschäumen und die Nudeln kurz darin schwenken. Mit dem Fischragout anrichten.

Pappardelle
mit Putenragout

Ein Saucen-Klassiker, der auch Genießer betört: Putenbrust mit Rotwein und Steinpilzen geschmort bringt ein Stück bella Italia auf den Tisch

Zutaten

15 g getrocknete **Steinpilze**

450 g **Putenbrustfilet**

150 g **Putenlebern**

1 **Zwiebel**

2 **Knoblauchzehen**

Salz · 400 g **Pappardelle**

2 EL **Olivenöl**

1/8 l **Rotwein**

1/4 l **Gemüsebrühe**

1 EL **Tomatenmark**

4 EL **Sahne**

2 Zweige **Rosmarin**

1 TL **Rotweinessig**

Pfeffer aus der Mühle

Zubereitung

FÜR 4 PERSONEN

1 Die getrockneten Steinpilze in einer kleinen Schüssel mit kochendem Wasser übergießen und einige Minuten einweichen. Die Pilze durch ein Sieb abgießen, dabei das Einweichwasser auffangen.

2 Putenbrust und -lebern waschen, mit Küchenpapier trockentupfen und in Scheiben schneiden. Die Zwiebel und die Knoblauchzehen schälen und fein hacken.

3 Reichlich Wasser zum Kochen bringen, salzen und die Pappardelle darin nach Packungsanweisung bissfest garen.

4 Inzwischen das Öl in einem Topf erhitzen. Das Fleisch und die Lebern darin anbraten. Die Zwiebeln, den Knoblauch und die Pilze dazugeben, alles etwa 3 Minuten andünsten.

5 Den Rotwein, die Brühe und etwa 1/8 l Pilzwasser angießen. Das Tomatenmark, die Sahne und 1 Rosmarinzweig hinzufügen und alles weitere 8 Minuten köcheln lassen. Mit Rotweinessig, Salz und Pfeffer abschmecken.

6 Die Pappardelle in ein Sieb abgießen und abtropfen lassen. Mit dem Putenragout anrichten, den Rosmarinzweig vor dem Servieren entfernen. Mit den restlichen Rosmarinnadeln garnieren.

Spaghetti mit Zitronen-Lamm-Ragout

Eine originelle Pasta-Idee mit Pfiff – sanft geschmortes Lammfleisch wird hier mit knackigem Löwenzahn kombiniert

Zutaten

400 g **Lammfleisch**

(aus der Keule)

100 g **Frühstücksspeck**

1 große **Zwiebel**

1 Bund gelber **Löwenzahn**

2 EL **Olivenöl**

1 **Knoblauchzehe**

Salz · 400 g **Spaghetti**

1/8 l **Weißwein** · 1/4 l **Gemüsebrühe**

Pfeffer aus der Mühle

frisch geriebene **Muskatnuss**

1 TL abgeriebene **Zitronenschale**

150 g **Crème fraîche**

6 EL **Zitronensaft**

Zubereitung

FÜR 4 PERSONEN

1 Das Lammfleisch und den Frühstücksspeck in kleine Würfel schneiden. Die Zwiebel schälen und fein hacken. Den Löwenzahn putzen, waschen und trockenschütteln.

2 Das Öl in einer Pfanne erhitzen, Fleisch- und Speckwürfel darin etwa 5 Minuten braten. Den Bratensaft abgießen und beiseite stellen. Den Knoblauch schälen und fein hacken, mit den Zwiebeln in die Pfanne geben und kurz mitdünsten.

3 Reichlich Wasser zum Kochen bringen, salzen und die Spaghetti darin nach Packungsanweisung bissfest garen.

4 Inzwischen Bratensaft, Wein und Brühe in die Sauce geben, mit Salz, Pfeffer, Muskatnuss und Zitronenschale würzen. Das Lammragout etwa 10 Minuten weiterköcheln lassen.

5 Die Crème fraîche und den Zitronensaft einrühren, bei kleiner Hitze weitere 10 Minuten köcheln lassen.

6 Die Spaghetti in ein Sieb abgießen und abtropfen lassen. Mit Lammragout und Löwenzahn mischen und anrichten.

Wenn Sie keinen gelben Löwenzahn bekommen, können Sie die Spaghetti mit Lammragout ersatzweise auch mit Rucola oder mit Brunnenkresseblättern anrichten.

Rotelle
mit Hähnchenbrust

Zubereitung
FÜR 4 PERSONEN

1 Die Zwiebel schälen und fein hacken. Die Petersilie waschen und trockenschütteln. Einige Stiele für die Dekoration beiseite legen, von den restlichen Stielen die Blätter abzupfen und ebenfalls fein hacken.

2 Reichlich Wasser zum Kochen bringen, salzen und die Rotelle darin nach Packungsanweisung bissfest garen.

3 Inzwischen die Hähnchenbrustfilets in 2 EL Öl auf beiden Seiten goldbraun braten, mit Salz und Pfeffer würzen.

4 Das Fleisch aus der Pfanne nehmen. Die Zwiebeln und den Ingwer im restlichen Öl dünsten. Die Brühe und den Zitronensaft dazugeben. Den Mascarpone unterrühren und die Sauce etwas einkochen lassen. Mit Salz und Pfeffer würzen, die gehackte Petersilie unterrühren.

5 Die Petersilienstiele kurz in 4 EL Öl frittieren. Die Rotelle abgießen und abtropfen lassen. Mit der Sauce, den aufgeschnittenen Hähnchenbrustfilets und der Petersilie anrichten, nach Belieben mit Zitronenzesten garnieren.

Zutaten

1 große **Zwiebel**

2 Bund glatte **Petersilie**

Salz · 400 g **Rotelle**

2 **Hähnchenbrustfilets**

6 EL **Olivenöl**

Pfeffer aus der Mühle

1 TL gehackter frischer **Ingwer**

200 ml **Gemüsebrühe**

1 EL **Zitronensaft**

2 EL **Mascarpone**

Zutaten

600 g **Kalbsschnitzel**

1 **Schalotte** · 200 g **Möhren**

1 unbehandelte **Zitrone**

3 EL **Olivenöl**

Salz · 500 g **Spaghetti**

2 geschälte **Knoblauchzehen**

⅛ l trockener **Weißwein**

⅛ l **Gemüsebrühe** · 4 EL **Crème fraîche**

1 Döschen **Safranfäden**

2 EL **Kapern**

Pfeffer aus der Mühle

3 EL **Kapernäpfel**

Spaghetti mit Kalbfleisch

Zubereitung

FÜR 4 PERSONEN

1 Das Kalbfleisch in Streifen schneiden. Die Schalotte schälen und hacken. Möhren schälen und in Stifte schneiden. Die Zitrone waschen und in Scheiben schneiden.

2 Das Öl erhitzen und das Fleisch darin unter Rühren etwa 4 Minuten braten. Herausnehmen und warm stellen.

3 Reichlich Wasser zum Kochen bringen, salzen und die Spaghetti darin nach Packungsanweisung bissfest garen.

4 Inzwischen Schalotten und Möhren im verbliebenen Bratfett andünsten, den Knoblauch dazupressen, alles mit Wein und Brühe ablöschen. Crème fraîche, Safran, Kapern mit etwas Kapernflüssigkeit und 2 Zitronenscheiben dazugeben. Die Sauce 6 Minuten zugedeckt köcheln lassen.

5 Zum Schluss das Kalbfleisch dazugeben, mit Salz und Pfeffer abschmecken. Die abgetropften Spaghetti mit Sauce, Kapernäpfeln und Zitronenscheiben servieren.

Spaghetti mit Parmaschinken

Ein Hochgenuss für Freunde der italienischen Küche: Spaghetti mit dem weltberühmten luftgetrockneten Schinken aus der Emilia-Romagna

Zutaten

400 g **Spaghetti**

Salz

100 g gekochter **Schinken** (am Stück)

150 g **Perlzwiebeln**

1 Bund **Basilikum**

3 EL **Olivenöl**

1 **Knoblauchzehe**

100 g **Parmaschinken** (in dünnen Scheiben)

100 g **Parmesan** (am Stück)

Pfeffer aus der Mühle

Zubereitung

FÜR 4 PERSONEN

1 Die Spaghetti nach Packungsanweisung in reichlich kochendem Salzwasser bissfest garen.

2 Inzwischen den gekochten Schinken in kleine Würfel schneiden. Die Perlzwiebeln schälen. Basilikum waschen, trockenschütteln und die Blätter von den Stielen zupfen. Von den Blättern 2 EL für die Dekoration beiseite legen, den Rest in Streifen schneiden.

3 Das Öl in einer großen Pfanne erhitzen. Die Schinkenwürfel und die Zwiebeln darin etwa 6 Minuten anbraten. Den Knoblauch schälen, fein hacken und dazugeben.

4 Den Parmesan mit dem Sparschäler in grobe Späne hobeln. Die Spaghetti in ein Sieb abgießen und abtropfen lassen. Mit dem Parmaschinken und dem Parmesan – bis auf 2 EL – in die Pfanne geben und untermischen. Alles weitere 3 bis 4 Minuten braten, mit Salz und Pfeffer würzen.

5 Die Basilikumstreifen untermischen. Die Schinken-Spaghetti mit den restlichen Basilikumblättern und dem übrigen Parmesan bestreut servieren.

Pappardelle mit Entenbrust

Kurz gebraten, saftig und zart – für diese herzhafte Pasta-Sauce ist das beste Stück der Ente gerade gut genug

Zutaten

150 g weiße **Gemüsezwiebeln**

2 **Knoblauchzehen**

2 **Entenbrustfilets**

Salz

400 g **Pappardelle**

6 EL **Olivenöl**

500 g pürierte **Tomaten** (aus der Dose)

200 ml **Geflügelbrühe**

Pfeffer aus der Mühle

2 EL **Aceto Balsamico**

1 Bund **Salbei**

100 g **Parmaschinken** (in dünnen Scheiben)

Zubereitung

FÜR 4 PERSONEN

1 Die Zwiebeln schälen und fein hacken. Die Knoblauchzehen ebenfalls schälen und fein hacken.

2 Von den Entenbrustfilets die Haut abziehen – wer will, kann sie in kleine Stücke geschnitten kross anbraten – und die Filets quer in Streifen schneiden.

3 Reichlich Wasser zum Kochen bringen, salzen und die Pappardelle darin nach Packungsanweisung bissfest garen.

4 Inzwischen 2 EL Öl in einem Topf erhitzen und die Filetstreifen darin anbraten. Die Zwiebeln und den Knoblauch dazugeben und etwa 3 Minuten weiterbraten.

5 Die pürierten Tomaten und die Geflügelbrühe dazugießen. Die Sauce mit Salz, Pfeffer und Aceto Balsamico würzen und einmal aufkochen lassen.

6 Inzwischen den Salbei waschen, trockenschütteln und die Blätter von den Stielen zupfen. Die Blätter in 4 EL Öl kurz frittieren. Die Pappardelle in ein Sieb abgießen und abtropfen lassen. Mit der Sauce, den Schinkenscheiben und den Salbeiblättern anrichten.

Wer gerne Salbei isst, kann im Nudelkochwasser einige Blätter mitkochen – das verleiht den Pappardelle bereits ein leichtes Salbeiaroma. Genauso kann man auch mit anderen Kräutern verfahren.

Pappardelle mit Hasenragout

Zubereitung

FÜR 4 PERSONEN

1 Das Hasenfleisch und den Speck sehr fein zerkleinern. Die Zwiebel und die Knoblauchzehe schälen und fein hacken. Die Selleriestange waschen und in feine Scheiben schneiden. Die Tomate waschen, überbrühen, häuten, entkernen und in Würfel schneiden.

2 Butter und Öl erhitzen und den Speck darin ausbraten. Das Hasenfleisch dazugeben und scharf anbraten. Die Hitze reduzieren und das vorbereitete Gemüse untermischen, mit Salz, Pfeffer und Thymian würzen.

3 Den Wein und die Fleischbrühe angießen und das Ragout zugedeckt bei schwacher Hitze etwa 2 Stunden schmoren lassen. Zum Schluss nochmals mit Salz und Pfeffer abschmecken.

4 Die Pappardelle nach Packungsanweisung in reichlich kochendem Salzwasser bissfest garen. Die Pappardelle in ein Sieb abgießen, abtropfen lassen und mit dem Ragout mischen. Nach Belieben mit frischem Thymian garniert servieren.

Zutaten

400 g **Hasenfleisch** (ohne Knochen)

50 g durchwachsener **Räucherspeck**

1 **Zwiebel** · 1 **Knoblauchzehe**

1 Stange **Staudensellerie**

1 **Fleischtomate**

1 EL **Butter** · 2 EL **Olivenöl**

Salz · **Pfeffer** aus der Mühle

½ TL getrockneter **Thymian**

100 ml trockener **Weißwein**

⅛ l **Fleischbrühe**

400 g **Pappardelle**

Zutaten

10 g getrocknete **Steinpilze**

1 **Möhre** · 1 **Zwiebel** · 1 **Knoblauchzehe**

100 g durchwachsener **Räucherspeck**

2 Stangen **Staudensellerie** · 3 EL **Butter**

250 g **Hackfleisch** · 2 EL **Tomatenmark**

Salz · **Pfeffer** aus der Mühle

200 g **Tomatenstücke** (aus der Dose)

1/8 l **Fleischbrühe** · 1/8 l **Rotwein**

1 TL getrockneter **Thymian**

1 TL getrockneter **Oregano** · 125 g **Sahne**

400 g **Makkaroni**

70 g frisch geriebener **Parmesan**

Makkaroni alla bolognese

Zubereitung

FÜR 4 PERSONEN

1 Die Pilze mit kochendem Wasser übergießen und einige Minuten einweichen. Möhre, Zwiebel und Knoblauch schälen. Ebenso wie den Räucherspeck und die Selleriestangen in kleine Würfel schneiden und in der zerlassenen Butter andünsten. Das Hackfleisch zerpflücken und nach und nach unter Rühren anbraten.

2 Tomatenmark und die abgetropften, klein geschnittenen Pilze unterrühren. Mit Salz und Pfeffer würzen. Den Sugo mit Tomatenstücken, Brühe und Wein aufgießen. Thymian und Oregano hinzufügen, einmal aufkochen lassen und zugedeckt bei schwacher Hitze köcheln lassen. Nach etwa 1 Stunde die Sahne unterrühren und ohne Deckel noch 30 Minuten köcheln lassen.

3 Die Makkaroni in reichlich kochendem Salzwasser nach Packungsanweisung bissfest garen. In ein Sieb abgießen, abtropfen lassen, mit dem Sugo und Parmesan servieren.

Pasta gefüllt & aus dem Ofen

Lasagnetaschen
mit Garnelen

Ein Pasta-Gericht, wie es edler und raffinierter kaum sein kann:
Nudeltaschen werden mit Gemüse gefüllt und mit Garnelen gekrönt

Zutaten

8–10 **Lasagneblätter**

Salz

2 EL **Olivenöl**

12 **Riesengarnelen** (küchenfertig)

Saft von 2 **Limetten**

1 Bund **Dill**

1 Bund **Frühlingszwiebeln**

800 g **Zucchini**

1 EL **Butterschmalz**

Pfeffer aus der Mühle

Fett für die Form

150 g **Sahne**

125 g **Doppelrahmfrischkäse**

2 **Eier**

Zubereitung

FÜR 4 PERSONEN

1 Die Lasagneblätter in reichlich kochendem Salzwasser mit 1 EL Öl etwa 6 Minuten weich garen (auch bei Lasagneplatten ohne Vorkochen!). Die Nudelplatten mit dem Schaumlöffel einzeln herausnehmen und in eine Schüssel mit kaltem Wasser geben, damit sie nicht aneinander kleben.

2 Inzwischen die Garnelen abbrausen und trockentupfen. Mit Limettensaft beträufeln und abgedeckt in den Kühlschrank stellen. Den Dill waschen, trockenschütteln und fein hacken. Die Frühlingszwiebeln putzen, waschen und in Ringe schneiden. Die Zucchini putzen und waschen, auf einer Küchenreibe grob raspeln.

3 Das Butterschmalz in einer Pfanne erhitzen und die Zucchini darin etwa 1 Minute andünsten. Die Zucchiniraspel gleich wieder aus der Pfanne nehmen und mit dem gehackten Dill und den Frühlingszwiebelringen mischen.

4 Den von den Garnelen abgetropften Limettensaft zum Gemüse gießen. Garnelen und Gemüse kräftig mit Salz und Pfeffer würzen.

5 Den Backofen auf 175 °C vorheizen. Die Lasagneblätter aus dem Wasser nehmen, trockentupfen und längs zusammenknicken, sodass Taschen entstehen. Die Taschen mit der Öffnung nach oben nebeneinander in eine gefettete ofenfeste Form setzen.

6 Die Nudeltaschen mit dem Gemüse füllen und mit den Garnelen belegen. Die Sahne, den Frischkäse und die Eier verrühren, salzen und pfeffern. Die Lasagnetaschen mit der Sahne-Ei-Mischung begießen und etwa 20 Minuten auf der mittleren Schiene backen. Die Garnelen nach 10 Minuten mit 1 EL Öl bestreichen.

Spinatlasagne
mit Tomatensauce

Der Klassiker ohne Fleisch – ein heißer Favorit aus dem Backofen, knusprig gebacken und Schicht für Schicht ein Genuss

Zutaten

1 **Schalotte**

2 **Knoblauchzehen**

3 EL **Olivenöl**

3 EL fein gehackte getrocknete **Tomaten** (in Öl)

1 Dose **Tomaten** (400 g)

50 ml **Weißwein** · **Salz**

Pfeffer aus der Mühle

200 g junger **Spinat**

500 g **Ricotta**

frisch geriebene **Muskatnuss**

25 g **Butter** · 25 g **Mehl**

300 ml **Milch**

50 g frisch geriebener **Parmesan**

250 g **Lasagneblätter**

150 g **Mozzarella** (in Scheiben geschnitten)

Zubereitung

FÜR 4 PERSONEN

1 Die Schalotte und die Knoblauchzehen schälen und fein hacken. 2 EL Öl in einer großen Pfanne erhitzen, Knoblauch, Schalotten und die gehackten getrockneten Tomaten darin andünsten.

2 Dosentomaten samt Saft und den Wein dazugeben, die Tomaten mit einer Gabel zerdrücken. Bei mittlerer Hitze in etwa 10 Minuten zu einer dickflüssigen Sauce einkochen lassen, mit Salz und Pfeffer kräftig würzen.

3 Den Spinat putzen, waschen und in kochendem Salzwasser kurz blanchieren. In ein Sieb abgießen, gut ausdrücken und hacken.

4 Den Spinat in einer Schüssel mit dem Ricotta vermischen, mit Muskatnuss, Salz und Pfeffer kräftig würzen.

5 Den Backofen auf 180 °C vorheizen. Für die Käsesauce die Butter in einem kleinen Topf erhitzen, das Mehl darin unter Rühren goldgelb anschwitzen. Unter ständigem Rühren die Milch nach und nach dazugeben. Den Parmesan unterrühren und die Sauce bei schwacher Hitze etwa 10 Minuten köcheln lassen.

6 Eine feuerfeste Form mit 1 EL Öl ausstreichen und lagenweise füllen. Zunächst den Boden mit Lasagneblättern auslegen und mit Tomatensauce bestreichen. Mit Lasagneblättern belegen und die Spinat-Ricotta-Mischung darauf verteilen. In dieser Reihenfolge alle Zutaten in die Form schichten. Mit der Käsesauce begießen und zum Schluss den Mozzarella darauf legen. Die Lasagne auf der mittleren Schiene in etwa 60 Minuten goldbraun backen.

Ravioli

mit Kartoffel-Minze-Füllung

Zubereitung

FÜR 4–6 PERSONEN

1 Aus Mehl, Eiern, Salz und etwas Wasser einen Nudelteig bereiten (siehe Seite 8) und ruhen lassen. Für die Füllung die Kartoffeln mit der Schale in wenig Wasser garen. Abgießen, abtropfen lassen, pellen und noch heiß mit dem Kartoffelstampfer zerdrücken.

2 Die Minzeblätter waschen, trockentupfen und hacken. Den Knoblauch schälen und ebenfalls hacken. Die zerstampften Kartoffeln mit Ricotta, Minze und Knoblauch vermischen, mit Salz und Pfeffer abschmecken.

3 Den Teig auf der bemehlten Arbeitsfläche dünn ausrollen. Die eine Hälfte der Teigplatte im Abstand von etwa 6 cm mit je 1 TL Füllung belegen. Die zweite Teighälfte darüber klappen und zwischen der Füllung leicht andrücken.

4 Mit einem Teigrädchen Ravioli ausschneiden. Die Teigränder jeweils andrücken (siehe Seite 9). Die Ravioli in reichlich kochendem Salzwasser etwa 4 Minuten garen. In ein Sieb abgießen, abtropfen lassen und mit zerlassener Butter und geriebenem Pecorino servieren.

Zutaten

400 g **Weizenmehl** (Type 405)

4 **Eier** · **Salz**

400 g **Kartoffeln**

ca. 50 Blätter frische **Minze**

1 **Knoblauchzehe**

300 g **Ricotta**

Pfeffer aus der Mühle

75 g **Butter**

60 g frisch geriebener **Pecorino**

Zutaten

400 g **Weizenmehl** (Type 405)

6 **Eier** · **Salz**

300 g **Mangold**

2 geschälte **Knoblauchzehen**

100 g frisch geriebener **Pecorino**

Pfeffer aus der Mühle

100 g **Walnusskerne**

3 EL **Pinienkerne**

½ Bund glatte **Petersilie**

50 g **Ricotta**

2 EL **Olivenöl**

Pansoòti mit Mangoldfüllung

Zubereitung

FÜR 4–6 PERSONEN

1 Aus Mehl, 4 Eiern, Salz und etwas Wasser einen Nudelteig bereiten (siehe Seite 8) und ruhen lassen.

2 Mangold putzen, waschen, kurz blanchieren, abschrecken und fein hacken. 1 Knoblauchzehe dazupressen, 2 Eier und den Pecorino untermischen, salzen und pfeffern.

3 Die Walnüsse und Pinienkerne in einer Pfanne ohne Fett rösten. Die Petersilie waschen, trockenschütteln und die Blätter abzupfen. Nüsse, Pinienkerne, Petersilie und die zweite Knoblauchzehe mit etwas Salz im Mörser zerstoßen. Mit zerdrücktem Ricotta und Öl verrühren, salzen.

4 Den Teig auf bemehlter Arbeitsfläche dünn ausrollen, in Dreiecke von etwa 8 cm Seitenlänge schneiden. Auf jedes etwas Füllung setzen und die Ränder andrücken. Die Pansoòti in Salzwasser etwa 4 Minuten garen. Die Sauce mit 2 EL Kochwasser verrühren und mit den Pansoòti servieren.

Conchiglioni mit Spargelfüllung

So wird das Essen zum Fest – große, muschelförmige Nudeln mit einer extravaganten, köstlichen Füllung aus Hähnchenfleisch und Spargel

Zutaten

250 g **Conchiglioni** · **Salz**

250 g weißer **Spargel**

Zucker

150 g **Hähnchenbrustfilet**

2 **Schalotten**

1 Bund glatte **Petersilie**

1 Kugel **Mozzarella** (ca. 125 g)

1 **Eigelb**

2 EL **Semmelbrösel**

Pfeffer aus der Mühle

Fett für die Form

100 ml trockener **Weißwein**

2 EL **Sahne**

50 g frisch geriebener **Pecorino**

2 TL **Butter**

Zubereitung

FÜR 2 PERSONEN

1 Die Conchiglioni nach Packungsanweisung in reichlich kochendem Salzwasser bissfest garen. In ein Sieb abgießen, kalt abbrausen und abtropfen lassen.

2 Die Spargelstangen waschen, von den holzigen Enden befreien und gründlich schälen. Mit 1 Prise Zucker in reichlich kochendem Salzwasser etwa 15 Minuten bissfest kochen. Die Spargelstangen abtropfen lassen und schräg in Scheiben schneiden.

3 Das Fleisch in kleine Würfel schneiden. Die Schalotten schälen und fein würfeln. Die Petersilie waschen und trockenschütteln, die Blätter von den Stielen zupfen und fein hacken. Den Mozzarella in feine Würfel schneiden.

4 Den Backofen auf 200 °C vorheizen. Die Spargelscheiben mit dem Fleisch, dem Mozzarella, den Schalotten, der Petersilie, dem Eigelb und den Semmelbröseln mischen, mit Salz und Pfeffer kräftig abschmecken.

5 Die Masse mit einem Löffel in die Conchiglioni füllen und diese nebeneinander in eine gefettete feuerfeste Form setzen. Den Wein mit der Sahne mischen und seitlich in die Form gießen. Den Pecorino über die gefüllten Nudeln streuen, mit Butterflöckchen belegen. Die Conchiglioni auf der mittleren Schiene etwa 35 Minuten backen, bis sie leicht gebräunt sind.

Nudelnester
in Pergament

Eine Überraschung auf dem Teller: In kleinen Päckchen geschmort schmecken die Spaghetti mit würziger Tomatensauce nochmal so gut

Zutaten

1 **Knoblauchzehe**

4 EL **Olivenöl**

240 g geschälte **Tomaten** (aus der Dose)

Salz · **Pfeffer** aus der Mühle

400 g **Spaghetti**

500 g **Tomaten**

1 Bund glatte **Petersilie**

50 g schwarze **Oliven** (ohne Stein)

8 Scheiben **Pancetta**

8 **Sardellenfilets** (in Öl)

50 g frisch gehobelter **Parmesan**

Zubereitung

FÜR 4 PERSONEN

1. Den Knoblauch schälen und fein hacken. 2 EL Öl in einer Pfanne erhitzen. Den Knoblauch darin glasig dünsten und aus der Pfanne nehmen. Die Dosentomaten ohne Saft im Knoblauchöl 10 Minuten köcheln lassen, dann mit dem Stabmixer pürieren. Mit Salz und Pfeffer kräftig würzen und nochmals etwa 10 Minuten einkochen lassen. Den Backofen auf 200 °C vorheizen.

2. Die Spaghetti nach Packungsanweisung in reichlich kochendem Salzwasser bissfest garen.

3. Inzwischen die Tomaten waschen, überbrühen, häuten, entkernen und in kleine Würfel schneiden. Die Petersilie waschen und trockenschütteln. Die Blätter von den Stielen zupfen und fein hacken. Die Oliven in Scheiben schneiden.

4. Die Spaghetti in ein Sieb abgießen und abtropfen lassen. Mit der Tomatensauce, den Tomatenwürfeln, den Oliven und 1 EL Petersilie mischen. 8 Blatt Pergamentpapier (à ca. 25 x 25 cm) mit dem restlichen Öl bestreichen.

5. Die Tomatennudeln zu 8 Nestern formen und jeweils in die Mitte des Papiers setzen. Je 1 Scheibe Pancetta, 1 Sardellenfilet und etwas Petersilie darauf geben. Das Papier über der Füllung zusammenfalten.

6. Die Nudelpäckchen auf das Blech setzen und im Ofen auf der zweiten Schiene von unten etwa 15 Minuten garen. Zum Servieren das Papier aufschlagen und die Nester mit Parmesanspänen bestreuen.

Lasagnerouladen mit Ricotta und Schinken

Zubereitung

FÜR 4 PERSONEN

1 Die Lasagneblätter in reichlich kochendem Salzwasser mit 1 EL Öl weich garen (auch bei Lasagneblättern ohne Vorkochen!). Einzeln mit dem Schaumlöffel herausnehmen und in eine Schüssel mit kaltem Wasser geben.

2 Den Schinken in Würfel schneiden. Den Rucola putzen, waschen, trockenschleudern und sehr fein hacken. Zwiebel und Knoblauch schälen und ebenfalls fein hacken. 1 EL Öl erhitzen, Zwiebeln und Knoblauch darin glasig dünsten. Den Backofen auf 180 °C vorheizen.

3 Die Zwiebelmischung mit Rucola, Ricotta, Eiern und 100 g Parmesan mischen, mit Salz, Pfeffer und Muskatnuss würzen. Die Lasagneblätter abtropfen lassen und dünn mit der Mischung bestreichen. Von der kurzen Seite her aufrollen, jeweils in 3 gleich große Stücke schneiden.

4 Die Nudelrouladen in eine gefettete ofenfeste Form setzen, mit dem restlichen Parmesan bestreuen und mit Butterflöckchen belegen. Auf der mittleren Schiene im Ofen in etwa 15 Minuten goldgelb backen.

Zutaten

8 **Lasagneblätter** · **Salz**

2 EL **Olivenöl**

200 g gekochter **Schinken** (am Stück)

1 Bund **Rucola** · 1 **Zwiebel**

2 **Knoblauchzehen**

400 g **Ricotta**

2 **Eier** · 150 g frisch geriebener **Parmesan**

Pfeffer aus der Mühle

frisch geriebene **Muskatnuss**

Fett für die Form

2 TL **Butter**

Zutaten

ca. 6 dünne Stangen **Lauch**

Salz · **Pfeffer** aus der Mühle

frisch geriebene **Muskatnuss**

16 **Cannelloni** (ohne Vorkochen)

2 EL **Olivenöl**

1 EL **Tomatenmark**

480 g geschälte **Tomaten**

(aus der Dose)

1 EL getrockneter **Oregano**

Zucker · **Fett** für die Form

200 g **Schafskäse**

150 g **Crème fraîche**

Cannelloni mit Lauchfüllung

Zubereitung

FÜR 4 PERSONEN

1 Die Lauchstangen putzen, waschen und in 16 Stücke schneiden (die Stücke sollten die gleiche Länge wie die Cannelloni haben). In kochendem Salzwasser blanchieren. In ein Sieb abgießen, mit Salz, Pfeffer und Muskatnuss würzen. Die Cannelloni mit den Lauchstangen füllen.

2 Das Öl erhitzen, Tomatenmark, Dosentomaten ohne Saft und Oregano darin andünsten. Etwa 20 Minuten einkochen lassen, mit Salz, Pfeffer und etwas Zucker würzen.

3 Den Backofen auf 200 °C vorheizen. Die Tomatensauce in eine gefettete feuerfeste Form geben und die Cannelloni darauf setzen.

4 Den Schafskäse grob zerkrümeln. Mit der Crème fraîche verrühren, mit Salz und Pfeffer würzen und über die Cannelloni geben. Die Cannelloni im Ofen auf der mittleren Schiene etwa 35 Minuten überbacken, die letzten 3 Minuten eventuell den Backofengrill zuschalten.

Cannelloni
mit Gemüsefüllung

Die Mischung macht's: Knackiges Sommergemüse, feine Kräuter und pikanter Ziegenkäse geben dieser Füllung den richtigen Pfiff

Zutaten

400 g **Tomaten**

1 **Zwiebel** · ½ **Möhre**

½ Stange **Staudensellerie**

6 EL **Olivenöl**

2 TL getrockneter **Thymian**

Salz · **Pfeffer** aus der Mühle

1 **Aubergine** · 2 kleine **Zucchini**

1 **Knoblauchzehe**

1 rote **Chilischote**

1 TL getrockneter **Oregano**

300 g **Ziegenfrischkäse**

24 **Cannelloni** (ohne Vorkochen)

Fett für die Form

60 g frisch geriebener **Pecorino**

2 TL **Butter**

Zubereitung

FÜR 6–8 PERSONEN

1 Für die Tomatensauce die Tomaten waschen, überbrühen, häuten, entkernen und in kleine Stücke schneiden. Zwiebel und Möhre schälen und in feine Würfel schneiden. Die Selleriestange waschen und ebenfalls in Würfel schneiden.

2 In einem Topf 3 EL Öl erhitzen und das Gemüse – bis auf die Tomaten – darin andünsten. Tomaten und 1 TL Thymian hinzufügen. Die Sauce mit Salz und Pfeffer würzen und zugedeckt etwa 20 Minuten köcheln lassen.

3 Für die Füllung die Aubergine und die Zucchini waschen und in kleine Würfel schneiden. Die Knoblauchzehe schälen und fein hacken. Die Chilischote halbieren, entkernen, waschen und in feine Streifen schneiden.

4 Das restliche Öl erhitzen, Auberginen- und Zucchiniwürfel, Knoblauch und Chili darin anbraten. Mit Salz, Pfeffer, 1 TL Thymian und Oregano würzen und etwas abkühlen lassen. Den Ziegenkäse grob zerkleinern und unterrühren. Den Backofen auf 220 °C vorheizen.

5 Die Cannelloni jeweils mit 2 bis 3 EL Gemüse-Käse-Mischung füllen und in eine gefettete ofenfeste Form schichten. Die Tomatensauce darüber gießen. Die Cannelloni mit dem Pecorino bestreuen, mit Butterflöckchen belegen und auf der mittleren Schiene in etwa 30 Minuten goldbraun backen.

Rezeptregister

Impressum

© Verlag Zabert Sandmann GmbH, München
1. Auflage 2000
ISBN 3-932023-73-0

Grafische Gestaltung: Georg Feigl, Verena Fleischmann, Barbara Markwitz
DTP: Katharina Wiethaus
Rezepte: ZS-Team
Redaktion: Kathrin Ullerich
Herstellung: Karin Mayer, Peter Karg-Cordes
Lithografie: inteca Media Service GmbH, Rosenheim
Druck & Bindung: Officine Grafiche De Agostini, Novara

Besuchen Sie uns auch im Internet unter der Adresse
www.zsverlag.de

Bildnachweis

Umschlagfotos: StockFood/Elizabeth Watt (Vorderseite); StockFood/Susie Eising (Rückseite)

Walter Cimbal: 83, 89, 91, 92, 93; StockFood/Uwe Bender: 28–29, 37; StockFood/Caggiano Photography: 85; StockFood/Susie Eising: 2–3, 4–5, 7/2. und 4. von links oben, 7/rechts unten, 8, 9, 13, 15, 19, 21, 23, 25, 27, 31, 33, 34, 35, 39, 41, 43, 44, 45, 47, 49, 50, 51, 53, 55, 56–57, 59, 61, 62, 63, 65, 66–67, 69, 71, 72, 73, 75, 77, 78, 79, 80–81, 86, 87, 95; StockFood/S. & P. Eising: 6/rechts, 7/links oben und rechts oben, 10–11, 24; StockFood/ Walter Pfisterer: 6/links, 7/3. von links oben; StockFood/Elizabeth Watt: 16, 17, 40